JN067228

現代SF小説
ガイドブック
可能性の文学

目次

6 はじめに……池澤春菜

8 SF史概説……牧眞司

作家紹介　国内

オクテイヴィア・E・バトラー 12／N・K・ジェミシン 14／メアリ・ロビネット・コワル 16／ケン・リュウ 18／パオロ・バチガルピ 20／アンディ・ウィアー 22／シルヴァン・ヌーヴェル 24／テッド・チャン 26／グレッグ・イーガン 28／劉慈欣 30／アン・レッキー 32／ジェフ・ヴァンダミア 33／チャイナ・ミエヴィル 34／コニー・ウィリス 35／サラ・ピンスカー 36／アーシュラ・K・ル・グウィン 37／ロイス・マクマスター・ビジョルド 38／ジョー・ウォルトン 39／ピーター・トライアス 40／ユーン・ハ・リー 41／キジ・ジョンスン 42／マーサ・ウェルズ 43／ニール・スティーヴンスン 44／フィリップ・リーヴ 45／ピーター・ワッツ 46／アーカディ・マーティーン 47／アイザック・アシモフ 48／クリストファー・プリースト 49／キム・ヨチョプ 50

／ジェイムズ・ティプトリー・ジュニア 51／ラヴィ・ティドハー 52／ンネディ・オコラフォー 53／J・P・ホーガン 54／バリントン・J・ベイリー 55／コードウェイナー・スミス 56／ウィリアム・ギブスン 57／ロバート・A・ハインライン 58／カート・ヴォネガット・ジュニア 59／J・G・バラード 60／エイドリアン・チャイコフスキー 61／R・A・ラファティ 62／スタニスワフ・レム 63／アリエット・ド・ボダール 64／アレステア・レナルズ 65／オースン・スコット・カード 66／アーサー・C・クラーク 67／P・K・ディック 68／チャーリー・ジェーン・アンダーズ 69／マーガレット・アトウッド 70／カズオ・イシグロ 71

72 **近年の日本SF**……小川哲

作家紹介　国内

柴田勝家 76／伊藤計劃 78／飛浩隆 80／伴名練 82／西島伝法 84／小川哲 86／藤井太洋 88／円城塔 90／高山羽根子 92／宮内悠介 94／山本弘 96／春暮康一 97／三島浩司 98／上田早夕里 99／柞刈湯葉 100／津久井五月 101／田中芳樹 102／菅浩江 103

／津原泰水 104／谷甲州 105／小林泰三 106／新井素子 107／月村了衛 108／森岡浩之 109／野﨑まど 110／林譲治 111／冲方丁 112／小川一水 113／宮澤伊織 114／石川宗生 115／長谷敏司 116／牧野修 117／上遠野浩平 118／小松左京 119／星新一 120／筒井康隆 121／光瀬龍 122／眉村卓 123／夢枕獏 124／神林長平 125／梶尾真治 126／山田正紀 127／空木春宵 128／新城カズマ 129／樋口恭介 130／北野勇作 131／草野原々 132／オキシタケヒコ 133／ユキミ・オガワ 134／高島雄哉 135

ガイド

136 **花開くアジアのＳＦ**……立原透耶

140 **非英語圏ＳＦ**……橋本輝幸

144 **アンソロジーのすすめ**……日下三蔵

148 **最新ＳＦ小説原作映像化事情**……堺三保

152 **ライトノベルに確固たるジャンル築くＳＦ**……タニグチリウイチ

コラム

156 アフロフューチャリズムとは……丸屋九兵衛
160 現代日本のジェンダーSF……水上文
164 ゲンロン 大森望 SF創作講座……大森望
168 世界のSF賞……大森望
172 プロ／アマの垣根を超えたウェブジンとファンジンの世界……井上彼方
176 SFファンダムとコンベンション……藤井太洋
180 対話のためのSFプロトタイピング……宮本道人

184 SF編集者座談会――そこが知りたい翻訳SF出版
189 プロフィール

はじめに

池澤春菜

ガイドブックの序文に書くのに一番相応しい言葉は、「ガイドブックを信じるな」。

そしてガイドブックの編者が言うべきたった一つのことは「全てわたしの責任です」。

だけどこの二行で前書きを終わらせるのは流石に気が咎めるので、もう少しだけ。

編者の仕事というのは、指標を考えること。広い広い世界を小さな本の中にどう収めていくか。年代や、地域や、ジャンル、いろいろな線の引き方がある。日本と海外あわせてたった作家一〇〇人という狭き枠。この割り振りをどうするかが一番の難問だった。

尖らせる？　それとも穏便に？

満遍なく？　それとも偏在させちゃう？

リストに名前を足したり引いたり、呻吟の日々。諸先輩方にリストを見せ、ご意見も伺った（報酬はラスク3枚ずつ。その節は大変申し訳ありませんでした）。結果、方針が固まった。

【今、ここ】の作家を優先。

過去の素晴らしい作家でも、今、本が手に入るかどうかを考える。もしくは今に繋がる流れの中にいるかどうか。

単著がある人を優先。もしくは特異な活動をしている人をピックアップ。

その上で、作家紹介のライター陣はなるべく新しい、やる気のある人にお願いする。本は名刺だから。ここから今後の活動の足がかりにして貰えるように。

コラムは今のＳＦの最先端、そして過去から今にどう流れが繋がってきているかがわかるようにテーマを選んだ。

つまり、徹底して、今のＳＦを知るための1冊、という切り口になった。そして、とても偏った。きっとあなたはこの本を開いて「なんであの作家が入っていないの？」とか「どうしてこのことが書いてないの？」とたくさん疑問を持ったと思う。それこそがガイドブックの役割。その疑問から考え始めて、今度は自分だけの指標を作って欲しい。

そして、ガイドブックは古びる。

永遠に最新情報の載っているガイドブックはない。でも、古びてからが本領発揮でもあるのだ。わたしは古いガイドブックを見るのが好きだ。そこにはなくなってしまったお店や、今は繋がっていない道路、昔の地名、当時のレートや、もしかしたらもう使われていない言葉が載っているかもしれない。古いガイドブックを見ていると、過去に旅をすることができる。横移動のためのガイドブックが、縦軸も持つ。

過去、現在を照らし合わせることで、未来も見えてくるかもしれない。

あなた自身の地図を作るために大事なのは、ガイドブックを信じないこと。

そしてもし何か間違いや行き届いていないことがあれば、全てわたしの責任です。

SF史概説

牧眞司

ジャンルとしてのSFが成立したのは、1920年代のアメリカだった。それ以前にヨーロッパで、メアリ・シェリー『フランケンシュタイン』(1818)、ジュール・ヴェルヌ『海底二万里』(1870)、オーギュスト・ド・ヴィリエ・ド・リラダン『未来のイヴ』(1886)、H・G・ウエルズ『タイム・マシン』(1895)など傑出した作品は書かれていたが、それらはあくまで各作家の才能と思想の結実である。1926年に、大衆向け科学雑誌を出版していたヒューゴー・ガーンズバックがSF専門誌「アメージング・ストーリーズ」を創刊し、ジャンルSFが輪郭を持った。同誌が掲載する作品のレベルは総じて低かったが、読者と作者のコミュニティが生まれたことで、SF的な設定やアイデアの共有と再生産が進み、裾野が大きく広がっていく。以降、20世紀を通じてアメリカが最大のSF生産地となる。

1930年代には多くのSF雑誌が創刊された。そのひとつ「アスタウンディング・ストーリーズ」は当初、割りきった大衆娯楽路線だったが、37年末に編集長の座についたジョン・W・キャンベルが作品設定や物語展開のロジックを重視するようになると、掲載作のレベルがみるみる向上し、SF界のリーディングマガジンの地位を築きあげる。ここからロバート・A・ハインライン、A・E・ヴァン・ヴォクト、アイザック・アシモフをはじめ、多くの才能が頭角をあらわした。いわゆる「ＳＦの黄金時代」である。

第二次世界大戦を経て、１９４９年に「マガジン・オヴ・ファンタジイ・アンド・サイエンス・フィクション」（略称「Ｆ＆ＳＦ」）、50年に「ギャラクシー」が創刊。前者は小説としての洗練を重視しており、後者は社会科学的な発想のＳＦが多く掲載することになる。こうしてＳＦというジャンルの幅が広がるいっぽう、一般誌にＳＦが掲載される機会も増えていく。また、このころからペイパーバックでの大部数のＳＦ出版がはじまった。

60年代に入ると、若い世代の作家を中心として表現面の実験、道徳的タブーへの挑戦、カウンターカルチャーへの接近を試みる作家があらわれ、ＳＦ界にニューウェイヴ運動が巻きおこる。先鋭的作品の発表舞台となったのは、マイクル・ムアコックが編集するイギリスの雑誌「ニューワールズ」。実作者としてはＪ・Ｇ・バラードの活躍が目覚ましい。

ニューウェイヴについてはジャンル内でさかんに議論されたが、けっきょく、大勢を塗りかえることはなかった。従来タイプの物語性に寄った小説がＳＦ出版の大部分を占め、商業的にも成功をした。ただし、題材の部分でエコロジーやフェミニズムなど時流に即した作品が書かれるようになったのも確かで、その傾向は70年代へと引きつがれた。70年代はまた、映画『スター・ウォーズ』の大ヒットに象徴されるように、ＳＦのイメージが広く一般に浸透した時代でもあった。

１９８４年にはウィリアム・ギブスンが『ニューロマンサー』を発表。電脳空間でのアクション、ストリートに溢れてジャンク化したテクノロジー、猥雑な未来都市の景観、人間性の変容などを、スラングまじりのハードボイルド文体で綴った作品で、これがサイバーパンク・ブームの引き金となる。もっとも、SFの変革運動としてのサイバーパンクは長続きはしなかった。現在ではもっぱら映像やゲームの領域で、ひとつの意匠として扱われるようになっている。

1990年代に入ってメキメキと頭角をあらわしたのがオーストラリアのグレッグ・イーガンであり、それから少し遅れて瞠目すべき活躍をはじめたのが台湾系アメリカ人のテッド・チャンである。ニューウェイヴやサイバーパンクのような運動ではないが、彼らの作品は同世代および後続世代に大きな影響を及ぼした。量子論や認知科学や宇宙論などを具体的なアイデアにして物語に盛りこむことで、形而上学や哲学の議論を現代に生きる人間の切実な問題として扱うのだ。

さて、先述したように長らくSFの最大生産地はアメリカだったが、それ以外の国にもSFの伝統はあった。たとえばイギリスのアーサー・C・クラーク、ポーランドのスタニスワフ・レム、旧ソ連のストルガツキー兄弟などは、第二次世界大戦後の世界SFを語るうえで抜きにすることのできない存在だ。日本でも1960年前後に星新一、小松左京、筒井康隆などの第一世代が登場して以来、ジャンルSFの系譜は途切れることがない。

21世紀に入ってからは、よりいっそう世界各地におけるSFの隆盛が顕在化する。さまざまな国籍、民族的ルーツの書き手が母語で、あるいは英語でSFを書きはじめたことに加え、ネットマガジンやウェブサイトを通じての作品発表や情報交換などが活発化、すぐれた紹介者による非英語圏ＳＦの英語へ翻訳が増えたことも見逃せない。とりわけ中華圏ＳＦの量的・質的な躍進が著しい。

再評価の進む卓越したストーリーテラー オクテイヴィア・E・バトラー

猿場つかさ

忘れない。そのことが何よりも、あり得たかもしれない未来を描くということを、オクテイヴィア・E・バトラーは鮮やかに証明してみせる。彼女の物語は、テクノロジーによる輝かしい未来予測を基にしているのではない。むしろ、忘却するべきでない破壊や暴力の歴史を踏まえながら、人類は一つの知性体としてこう存在できるかもしれないという希望の上に立っている。それは、どのような状況であれ、決して譲れない尊厳を保ちながら、世代を超えて生き延びていけるという希望だ。読了後、わたしたちはじわりと染み出す希望に胸を掴まれて、わたしたちの社会の未来へ思いを馳せられるだろう。良いSFを読んだ。そう感じさせてくれる。一見すると暗い設定の作品が多いのだけれど。

バトラーはストーリーテラーとして卓越している。黒人差別の歴史や女性身体にまつわる問題、遺伝病、冤罪、不条理な支配、異種との共生、物語には重いテーマが織り込まれているけれど、SF的に料理されることで、決して説教臭くない。文体とドラマには、読み手に物語内の人物の痛みや感情を直に感じさせる凄みがある。

2022年に河出書房新社から出版された短編集『血を分けた子ども』（藤井光訳）に収録された七つの短編のどれを読んでも、その凄みを感じることができる。まず手にとるならこの一冊といって差し支えないだろう。表題作「血を分けた子ども」は異種との共生と男性妊娠、「夕方と、朝と、夜と」は遺伝病と個人の決定権、「恩赦」は不条理な支配と冤罪、テーマが素晴らしい物語に仕立てられている。

彼女自身は2006年に58歳で亡くなっている。しかし、BLM運動をはじめとする社会の動きの中で黒人文学への関心が高まる中、アフロフューチャリズムの旗手として今なお注目され続けている。バトラーの影響を受けたと公言する作家も多い。サラ・ピンスカーやN・K・ジェミシンはその代表的な例だろう。

日本でも再評価の機運が高まり、長編『キンドレッド』(風呂本惇子、岡地尚弘訳、河出文庫)は文庫化され、前述の『血を分けた子ども』が出版された。今後も竹書房から『Parable』シリーズが刊行予定である。

作家としての彼女は評価されるまでに時間がかかった苦労人であり、エッセイで「閃きに頼らなくていい。習慣のほうがあてになる」「自分と相性のよいマーケットをリサーチせよ」と書いている。ひとりの創作者としてのストイックな姿勢も読み手の生に影響を与えうるだろう。

『キンドレッド』河出文庫、風呂本惇子、岡地尚弘訳

アフロフューチャリズムと共振するブラック・フェミニズムSFの旗手
N・K・ジェミシン

春日正信

1972年アメリカ・アイオワ州生まれ、ニューヨーク市ブルックリン在住の黒人女性作家。大学で心理学を学んだのちカウンセラーとして働きながら小説を執筆し、2010年の長篇デビュー作『空の都の神々は』（佐田千織訳、ハヤカワ文庫FT）でローカス賞を受賞。同作はジェイムズ・ティプトリー・ジュニア賞にノミネートされ、ジェンダーSF研究会のセンス・オブ・ジェンダー大賞も受賞した。2015年の『第五の季節』（小野田和子訳、創元SF文庫）にはじまる〈破壊された地球〉三部作は、3年連続でヒューゴー賞長編部門を受賞。三作目の『輝石の空』はネビュラ賞長編部門も受賞している。

コミックやゲーム、ドラマにも造詣が深く、よしながふみ『大奥』からの多大な影響を公言する彼女は、DCコミックスの長寿シリーズ『グリーン・ランタン』で原作を担当。ジャネール・モネイをモチーフにした黒人女性ヒーローが誕生した。また、〈破壊された地球〉三部作は、マイケル・B・ジョーダンのプロデュースとジェミシン本人の脚本による映像化が進められている。

アフロフューチャリズム運動におけるファンタジーとスペキュレイティヴ・フィクションの担い手としても知られ、SFを通じてブルックリンの若い女性とトランスジェンダー、ノンバイナリーの若者を育成するコミュニティ「オクテイヴィア・プロジェクト」に参加、講師を務めている。

2013年から起きたヒューゴー賞内部の人種差別・性差別主義者によるマイノリティ排斥運動「パピーゲート事件」にジェミシンは猛抗議し、痛烈に非難した。また、『第五の季節』の背景にはファーガソン暴動とブラック・ライヴズ・マター運動の影響があると語っている。ジェミシンの物語は、差別を超克し未来を作り出すためのファンタジーだ。ブラックであること、女性であること。正体を隠し面従腹背するマイノリティの内面が可視化され、宇宙規模のファンタジーへと昇華する。

そこではコミュニケーションと情報の伝達、交渉が重要なポイントとなる。手の内を探りあい薄氷を踏むような緊張感に満ちたセンシティヴな会話劇も、彼女の小説の大きな魅力だ。最後のカードを明かさず、示唆に満ちたヒントをはりめぐらせて思考を刺激する魔術的な手さばき。仮面の裏に秘められ鍛え上げられた能力を解放する爆発的エクスタシーが、読み手の脳をフル回転させるスリリングな快感を与えてくれる。

『第五の季節』創元 SF 文庫 小野田和子訳

SF世界を縦横無尽に駆け巡る稀代のマルチプレイヤー
メアリ・ロビネット・コワル

永井光暁

アメリカ・ノースカロライナ州出身のＳＦ・ファンタジー作家、操り人形師、声優。イーストカロライナ大学で芸術教育の学位を取得した後、１９８９年からプロの操り人形師として活動を開始。２００１年には人形劇「木に花を咲かせた老人」で、アメリカの操り人形師に与えられる最高の賞の一つであるＵＮＩＭＡ（国際人形劇協会）－ＵＳＡの優秀賞を受賞した。

２００４年、「Just Right」（未訳）で作家デビュー。２００８年に「Portrait of Ari」（未訳）で、アメリカにおけるＳＦ・ファンタジーの新人作家に与えられるアスタウンディング新人賞を受賞。２０１１年には「釘がないので」（原島文世訳、「Ｓ－Ｆマガジン」２０１４年6月号）がヒューゴー賞中編小説部門を受賞した他、ジェイン・オースティンをオマージュした「幻想の英国年代記」シリーズの第一作『ミス・エルズワースと不機嫌な隣人』（原島文世訳、ハヤカワ文庫）がネビュラ賞長編小説部門にノミネートされ注目を集める。

２０１４年に「火星のレディ・アストロノート」（酒井昭伸訳、「Ｓ－Ｆマガジン」２０２０年10月号掲載）でヒューゴー賞中編小説部門を受賞した後、２０１９年には『宇宙へ』（酒井昭伸訳、ハヤカワ文庫ＳＦ）でヒューゴー賞・ネビュラ賞・ローカス賞の主要ＳＦ文学賞三冠を達成。ＳＦ・ファンタジー作品の普及にも尽力しており、２０１９年から21年にかけてアメリカＳＦ・

ファンタジー作家協会の会長を務めた他、近年は人形劇で培った経験を活かして、自身の作品を含めたオーディオブックにもナレーターとして多数参加している。

『宇宙へ』を始めとする「レディ・アストロノート」シリーズで知られるコワルだが、ＳＦ作家としては、「科学」を巡る人々の葛藤と、それを取り巻く性別・人種に対する差別などといった社会問題を組み合わせた世界観の秀逸さが特徴に挙げられる。同シリーズは１９５０年代から60年代の架空のアメリカが舞台となっている。当時、現実のアメリカでは月面着陸へと至る宇宙開発の躍進が始まっていたものの、その傍らでは冷戦や、現代にも続く様々な差別が顕在化しつつあった。いわゆる「歴史改変」モノである同シリーズだが、登場人物たちが直面する問題は、ＳＮＳを中心にますます対立・分断が生じている現在において、私たちの眼前に広がるコンフリクトについて、改めて考える契機となるのではないだろうか。

『宇宙（そら）へ（上）』ハヤカワ文庫ＳＦ、酒井昭伸訳

史上初の三冠を果たした中国SFの伝道者
ケン・リュウ

たかp

中華人民共和国甘粛省出身で弁護士、プログラマー、翻訳家の顔も持つSF・ファンタジー作家。2002年「カルタゴの薔薇」(古沢嘉通訳、『神々は繋がれてはいない』ハヤカワ文庫SF収録)でデビュー。2011年「紙の動物園」(古沢嘉通訳)でネビュラ賞・ヒューゴー賞・世界幻想文学大賞の三冠を史上初めて達成。日本においても星雲賞海外短編部門を受賞した。以降も「良い狩りを」(古沢嘉通訳『もののあはれ』ハヤカワ文庫SF収録)、「シミュラクラ」(『草を結びて環を銜えん』ハヤカワ文庫SF収録)での星雲賞同部門受賞、「円弧」(以上古沢嘉通訳、『紙の動物園』ハヤカワ文庫SF収録)の日本映画化(映画タイトルは『Arc アーク』)により、日本でも知名度を増している。短編の執筆活動に取り組む傍ら翻訳活動にも精を出しており、数多の賞を受賞した劉慈欣著『三体』(早川書房)第一部、第三部の英訳や、『折りたたみ北京』(ハヤカワ文庫SF)、『月の光』(大森望、中原尚哉、大谷真弓、鳴庭真人、古沢嘉通訳、新☆ハヤカワ・SF・シリーズ)、『金色昔日』(以上大森望、中原尚哉、大谷真弓、鳴庭真人、古沢嘉通訳、ハヤカワ文庫SF)といった現代中国SFアンソロジーの編集を担当し、中国SFの紹介者として世に知られている。

リュウの作品には生き生きとした情感があふれていて、テクノロジー満ちてなお強かに在り続ける繋がりが、穏やかな筆致で確と表現されている。特筆すべきは「『輸送年報』より「長距離貨物輸送飛行船」（「パシフィック・マンスリー」誌2009年5月号掲載）」（古沢嘉通訳、『草を結びて環を銜えん』ハヤカワ文庫SF収録）に見られるような、幻想世界に生活する人々の息遣いが感じられる点であり、奥行きのある世界観にさえ身近さを覚えることである。「良い狩りを」で試みられたような、SFとファンタジーの融合をみた作品であってもこの素晴らしさは失われていない。今なおSF・ファンタジー両分野の優れた短編を生み出し続けており、「草を結びて環を銜えん」（古沢嘉通訳）のような史実を題材にした胸打つ作品に限らず、「選抜宇宙種族の本作り習性」（古沢嘉通訳、『もののあはれ』ハヤカワ文庫SF収録）のように青天井の空想をユーモアたっぷりに楽しめる作品も多い。前者においてはリュウの中国というルーツが、後者においては豊かな人生経験に裏打ちされた想像力が、それぞれ存分に発揮されている。中国SFが日本でも広まりつつある昨今において、間口が広く短編が多いリュウの作品は、中国SFを楽しむ第一歩にふさわしいだろう。

『紙の動物園』早川書房　古沢嘉通訳

珍妙ながらも恐ろしい「ありうべき近未来」を描く
パオロ・バチガルピ

永井光暁

アメリカ・コロラド州出身のＳＦ・ファンタジー作家。オーバリン大学で東アジア学を専攻。大学在学中から中国に渡航し、卒業後も数年間を同国で過ごす。

１９９９年、短編作品「ポケットのなかの法（ダルマ）」で作家デビューした後、２００６年には「カロリーマン」で、英語圏で出版された優れた短編ＳＦに与えられるシオドア・スタージョン記念賞を受賞。これらの作品は後に短編集『第六ポンプ』（中原尚哉、金子浩訳、ハヤカワ文庫ＳＦ）に収録され、同作は２００９年にローカス賞中編部門を受賞した。また、短編に限らず長編の執筆にも取り組み、ローカス賞を受賞した同年に発表された初の長編作品『ねじまき少女』（田中一江、金子浩訳、ハヤカワ文庫ＳＦ）は翌２０１０年にヒューゴー賞長編小説部門、ネビュラ賞長編小説部門、ローカス賞第一長編部門、ジョン・Ｗ・キャンベル記念賞を受賞。ＳＦ界の主要文学賞を総なめにしたことで、現代におけるＳＦの最も重要な担い手の一人として注目を集める。さらに、２０１０年にヤングアダルト向け冒険ＳＦ『シップブレイカー』（田中一江訳、ハヤカワ文庫ＳＦ）シリーズをスタートした他、２０１５年に『神の水』（中原尚哉訳、新☆ハヤカワ・ＳＦ・シリーズ）を、２０１８年にはＳＦ作家のトバイアス・Ｓ・バッケルと『The Tangled Lands』（未訳）を共同執筆するなど、以降も精力的に作品を発表している。

ＳＦ作家としてのバチガルピについては、「近未来を舞台にしたディストピアＳＦの書き手」という説明が最も適当だろう。代表作である『ねじまき少女』を始め、バチガルピ作品の多くは世界観を共有しているものが多い。彼が描く近未来は、温暖化による気候変動がより深刻化したことに加え、化石燃料が枯渇したことでエネルギー構造や経済体制が激変した世界である。そこでは生物工学技術の発展に伴い、遺伝子組み換え動物を使役することでエネルギーを確保している一方、化学物質の過剰摂取による出生率の低下と人々の痴呆化が社会問題となっている。このように、バチガルピは現在ある問題を発展させて「ありうべき近未来」とも呼べる世界観を構成しており、それが作品全体に及ぶ生々しい薄暗さの土台となっている。コミカルな作品もいくつか執筆しているので、独特のウィットに富んだ風刺を楽しみつつ、私たちの「ありうべき近未来」について思いを馳せてみてはいかがだろうか。

『第六ポンプ』ハヤカワ文庫ＳＦ、中原尚哉・金子浩訳

科学知識にユーモアを添えた、ハードSFの俊英
アンディ・ウィアー

岡野晋弥

アンディ・ウィアーが創作活動を始めたのは、20年ほど前にさかのぼる。プログラマーとして働く一方、インターネット上で作品を発表しはじめたのが始まりだ。もともとウェブコミックを中心に活動し、やがて小説を書くようになる。2009年から3年をかけて執筆した『火星の人』（小野田和子訳、ハヤカワ文庫SF）は当初、自身のホームページで無料公開されていた。その後、電子書籍で読みたいという要望を受けKindleで販売を始めたところ、これが大ヒットする。2014年にアメリカで紙の書籍が発行されると、翌年には全米で映画が公開された。SFに明るくない方でも、『オデッセイ』というタイトルには聞き覚えがあるかもしれない。マット・デイモンがじゃがいもを育てる、あの映画だ。

『火星の人』で一躍有名となったアンディ・ウィアーは、その後も精力的に執筆を続けている。日本では、2018年に月を舞台としたSFサスペンスの『アルテミス』（小野田和子訳、ハヤカワ文庫SF）が、2021年には地球から遠く離れた宇宙船を舞台とした『プロジェクト・ヘイル・メアリー』（小野田和子訳、早川書房）が翻訳出版された。

アンディ・ウィアーは、豊富な科学知識に裏付けられたハードSFを得意としている。事故によって火星に一人で取り残されてしまった主人公のサバイバルを描く『火星の人』や、地球

の危機を救うために宇宙へ旅立ち、一人生き残った主人公の物語である『プロジェクト・ヘイル・メアリー』では、宇宙の容赦のなさが随所に表現されている。月面都市で進行している陰謀を暴きだす『アルテミス』でも、月面都市という特殊な環境が物語終盤の危機を引き起こした。これらの状況を解決するのは、ご都合主義ではなく科学だ。さらに、問題の解決方法を立案するだけでなく、それを実践するところまで作中で丁寧に描かれている。ここまで描くことで、物語がより説得力を増している。

そして、どんなときも前向きな登場人物たちが、物語を楽しく盛り上げる。何度死にそうな目にあっても、つねにユーモアを忘れず、目の前の課題に向から主人公たち。それを支える人々も国境や信条を越えて団結し、大きな危機を乗り越えていく。アンディ・ウィアーの小説を読めば、どんな苦難も乗り越えられるような気がしてしまう。こんな時代にも、いやこんな時代だからこそ、世界はアンディ・ウィアーの小説を必要としているはずだ。

『火星の人』ハヤカワ文庫ＳＦ、小野田和子訳

世界中から注目を集めたロボットSFの新鋭
シルヴァン・ヌーヴェル

永井光暁

カナダ・ケベック州出身のSF作家。15歳で高校を中退した後、地元の地方新聞のジャーナリストとして働き始めるも長続きせず、建設作業員やアイスクリームの販売員など、様々な職を転々とする。しかし、給料の安さに辟易したことで、「人生で一番やりたいこと」の一つであった学問への道に戻ることに。大学では言語学を専攻し、モントリオール大学を卒業後、2003年にはシカゴ大学で、コンピューターを用いた形態論および言語分析の研究で博士号を取得。

その後、自宅で翻訳会社を営んでいたヌーヴェルはある日、息子から彼が遊んでいたおもちゃのロボットについて「これ、どこから来たの？　何をするためのものなの？　飛べるの？」と尋ねられる。このやり取りから着想を得たヌーヴェルは小説の構想を練り、執筆を進めていく。だが、出版に至るまでの道のりは険しく、2014年に原稿を出版エージェントに送付したものの断られ続け、最終的な却下の件数は50件に上った。しかし、それでもヌーヴェルは諦めず、苦難の末にデル・レイ・ブックスと出版契約を結ぶことに成功する。子供の無邪気な質問がきっかけとなったこの作品は、2016年に『巨神計画』（佐田千織訳、創元SF文庫）として世に送り出された。

ヌーヴェルの名を一躍世に知らしめた〈巨神計画（テミス・ファイル）〉シリーズは、一人の少女がアメリカの片田舎で、金属製の巨大な手と、謎の記号が記されたパネルを見つけたことをきっかけに物語が始まる。後にそれらは、６０００年前に存在した巨大ロボットの残骸であることが判明。そして、地球全土にちらばった残骸を回収するべく、とある極秘プロジェクトが始動する……というのが、同シリーズの大まかなあらすじだ。一般的な小説とは異なり、作中世界における様々なインタヴューや日記、ドキュメントなどを参照する形式で書かれており、作品自体を一種の記録集として読むことができる。

また、〈巨神計画〉シリーズ以外にもヌーヴェルは「Take Them to the Stars（彼らを星に連れて行って）」シリーズという、戦後から冷戦期の宇宙開発競争を題材にした歴史改変ＳＦスリラーを現在手がけている。残念ながら未邦訳ではあるものの、最新作の『For the First Time, Again』の刊行が２０２３年４月に控えており、近年で最も壮大なＳＦの書き手として、その動向が大いに注目されている。

『巨神計画（上）』創元ＳＦ文庫，佐田千織訳

美しき論理連なるバビロンの塔
テッド・チャン

たかp

アメリカ・ニューヨーク出身のSF・ファンタジー作家。1991年、デビュー小説「バビロンの塔」（浅倉久志訳、『あなたの人生の物語』ハヤカワ文庫SF収録）でネビュラ賞中編小説部門を受賞。以降も作品は高い評価を受け続け、「地獄とは神の不在なり」（古沢嘉通訳、『あなたの人生の物語』収録）、「商人と錬金術師の門」、「息吹」、「ソフトウェア・オブジェクトのライフサイクル」（以上大森望訳、『息吹』早川書房収録）で四度のヒューゴー賞受賞を果たす。2016年、代表作である「あなたの人生の物語」（公手成幸訳）がドゥニ・ヴィルヌーヴ監督により『メッセージ』（原題は『Arrival』）として映画化され、SFファン以外の層にも広く知られるようになってきている。寡作でありながらもチャンの印象は根強く、神の存在について扱った「地獄とは神の不在なり」は、ケン・リュウ「一ビットのエラー」（古沢嘉通訳、『もののあはれ』ハヤカワ文庫SF収録）や斜線堂有紀『楽園とは探偵の不在なり』（ハヤカワ文庫JA）に影響を与えたと言われている。

チャンの魅力の一端は、徹底した論理性にある。私たち読者が理解の外に置かれることなく徹頭徹尾分かりやすい真面目な議論が展開され、しかし余りにも真面目過ぎるため読者にある種の可笑しさを感じさせつつもページを繰る手を止めさせず、最後にはチャンの深い思索に感嘆させられてしまう。例えば「理解」（公手成幸訳、『あなたの人生の物語』収録）においては、ホルモン剤注射によって知能指数を上昇させ天才になった男の思考過程が詳述され、男の視点を私たち読者が体験できるように描かれている。「もしも天才であったなら世界はどのように見えるのか」という疑問に、真正面から取り組んでいるのである。その描写の丁寧さには思わず目を瞠る。また「バビロンの塔」（浅倉久志訳、『あなたの人生の物語』収録）や「息吹」に代表されるチャンの力強く存在する虚構世界にあって登場人物たちが信念のまま選択し、結果として訪れる終幕は、必然さを感じさせながらも時に残酷であり、時には希望を孕むものである。あるいは人によっては、チャンの結末は絶望そのものかもしれない。しかし、たとえチャンの作品に何を感じたにせよ、私たちは読了後、現実世界に対する新たな視点を一つ獲得するだろう。それは、私たちの人生を豊かにしてくれるはずである。

『あなたの人生の物語』早川書房　浅倉久志他訳

最重要にして超難解、SFの挫折と快感を提供する第一線の作家
グレッグ・イーガン

中野伶理

オーストラリア西オーストラリア州のパース出身のSF作家。西オーストラリア大学で数学の理学士号を取得後、プログラマーの仕事との兼業で執筆活動を行い、1983年に短編「Artifact」で作家デビュー。1993年に「ふたりの距離」でディトマー賞短編部門、1995年に『順列都市』(以下すべて山岸真訳、ハヤカワ文庫SF)でジョン・W・キャンベル記念賞、1999年に『祈りの海』でヒューゴー賞中長編小説部門とローカス賞中長編部門を受賞、その他数々の賞に輝いている。自分の写真を公開せず、覆面作家として活動を続けている。

イーガンの興味は量子論や宇宙論、人工知能や哲学、数学や物理学など広範な分野に渡り、人間の認識や意識の問題を扱うことが多い。科学の整合性や論理性を重視するいわゆるハードSFの作家に分類され、今もっとも活躍している作家の一人といえる。

現代のSFを知りたければイーガンを読んだ方が良い、というのは恐らく正しいが、SFを読んだことがない人が、イーガン作品の中でも難解なものに手をつけるのはお勧めできない。というのは、SFの難しさは、用語や概念の難解さ、登場人物への感情移入の困難さ、ストーリーの複雑さなどが挙げられるが、イーガン作品はほぼすべての要素を高密度で備えているからである。それでもイーガンの小説は素晴らしく、SFならではの問題提起と解決方法、壮大

な発想、ものごとに対する現実的で生産的な姿勢などには深い感銘を受ける。

短編集『祈りの海』『しあわせの理由』『ひとりっ子』『ビット・プレイヤー』か、長編の『ゼンデギ』などは比較的理解しやすいので、最初に手をつけるものとしては良いだろう。『宇宙消失』『万物理論』は、興味の方向性によっては深く楽しめる。傑作の呼び声が高い『ディアスポラ』や、緻密かつ壮大な『シルトの梯子』などは非常に難解で、読むにあたっては相当の覚悟が必要だ。

イーガンは難解である。とはいえ、分からないものに手を伸ばし、分からなさに悶えるというのもＳＦを読むことの喜びの一つであり、その醍醐味を存分に満たしてくれる作家である。

『祈りの海』ハヤカワ文庫ＳＦ、山岸真訳

人間の、そして宇宙の「死」のさらなる先へ
劉慈欣

楊駿驍

中国出身のSF作家。長編小説〈三体〉三部作（大森望ほか訳、早川書房）の第一部のケン・リュウの英訳によって、2015年にヒューゴー賞長編小説部門賞をアジア人としては初の受賞を果たした。シリーズは世界で累計2900万部（2021年時点）を売り上げており、オバマ元アメリカ大統領や実業家のマーク・ザッカーバーグーもファンを公言している。

劉慈欣の小説の特徴の一つは過激な相対化だといえる。彼はあるエッセイの中で自分の「SF観」を開陳している。「現実世界におけるどのような悪でも、SFの中でそれに対応する世界設定を見つけることができる。さらに、それを正当なもの、ないし正義に変えることさえできるし、逆もまたしかり。SFにおける正義と不正、善と悪は、それに対応する世界のイメージの中でこそ意義を持つ。私はこの発見に夢中になり、すっかりその邪悪な快感のとりこになってしまった（筆者訳）」。

〈三体〉シリーズはまさにその思想を完璧に体現した作品である。私たちが絶対的だと奉じているすべてのものに限界があり、相対化できるという事実を彼は執拗に描く。その相対化の表現はしばしば「終わり」や「死」といった形で提示される。人間という種族は終わるし、人間性や道徳的な価値はいずれ死を迎える。物理法則とそれを探求する科学は超越的な存在の前で

は無用なものとなり、太陽系とともに「死」を迎える。最終的に宇宙そのものすら死んでしまう可能性がある。この世に絶対的なものなんてなく、あるとすれば「死神」だけである。

しかし、劉慈欣は「死」の冷徹さだけでなく、それがたたえる強烈な美しさも描き出している。何かかつて存在したことのない、存在できるとも想像できなかったような事態が、「死」に際して新たに生まれ出ることの美しさ。それをよりポジティヴに言い換えると、「変化を肯定する美意識」だといえるだろう。

２０２０年以降、新型コロナウィルス感染症の出現によって、私たちの「世界設定」は根本的に変わってしまったといえる。それは個人の「死」のみならず、これまでの世界の常識の「死」ももたらしてしまったのである。私たちはそのような「死」または変化に恐れ慄くだけでなく、それとどう向き合うべきかというアクチュアルな問題に、〈三体〉シリーズは貴重なヒントを提供してくれるかもしれない。

『三体』早川書房、立原透耶監修、大森望・光吉さくら・ワン・チャイ訳

さらりと読めない、だからこそ面白い　アン・レッキー

佐倉きの

アメリカのＳＦ・ファンタジー作家、編集者。２００５年にＳＦ・ファンタジー作家のための「クラリオン・ウェスト・ライターズ・ワークショップ」に参加し、オクテイヴィア・Ｅ・バトラーに師事。２０１３年に発表したデビュー作『叛逆航路』（赤尾秀子訳、創元ＳＦ文庫）にてネビュラ賞、ヒューゴー賞、ローカス賞など名だたる賞を総なめにし、史上初の英米七冠を達成した。また日本においても２０１６年に第47回星雲賞海外長編部門を受賞している。

『叛逆航路』は、数千の生体兵器を同時に操る宇宙戦艦のＡＩが裏切りによってすべてを失い、たった一つの生体兵器のみの身体となりながらも復讐を果たそうとする三部作シリーズの第一作。ジェンダーの区別を行わない文化圏を舞台とし、男女共に「彼女（she）」と呼ぶ手法が話題を呼んだ。決してとっつきやすい作品ではないが、情景描写や人物の振る舞いに対する堅実な筆致が広大な作品世界の骨組みを支えており、読めば読むほど味の出る逸品だ。同じ宇宙を舞台に辺境の星系国家のお家騒動を描いた『動乱星系』（赤尾秀子訳、創元ＳＦ文庫）に続き、２０２３年夏には同シリーズの最新作『Translation State』が発表予定。

『叛逆航路』創元ＳＦ文庫、赤尾秀子

細やかな自然描写の奥に謎めいた魅力　ジェフ・ヴァンダミア

橋本輝幸

SFや幻想怪奇小説の紹介と拡張に邁進する作家・アンソロジスト・編集者。１９６８年に米国ペンシルヴェニア州で生まれ、もっぱらフィジー諸島で育つ。１９８０年代後半から短編小説を発表していたが、本格的に活動するのは２０００年代以降。どちらかといえば玄人好みの作家・研究家だったが、２０１４年に文学作品に強い出版社から一挙刊行された、〈サザーン・リーチ〉三部作がベストセラーになって知名度を得た。いまや35言語以上に翻訳されている。〈サザーン・リーチ〉は『全滅領域』『監視機構』『世界受容』（すべて酒井昭伸訳、ハヤカワ文庫NV）の三冊から構成されている。ネビュラ賞を受賞した第一巻『全滅領域』はアレックス・ガーランド監督によって映像化された（『アナイアレイション　全滅領域』）。本シリーズや他の未訳長編に共通する特色は、自然や生態系の細やかな描写と、明快なドラマがない謎めいた雰囲気だ。

ノンフィクションの翻訳に『ワンダーブック　図解 奇想小説創作全書』（朝賀雅子訳、フィルムアート社）や、S・J・チャンバースとの共著『スチームパンク・バイブル』（平林祥訳、小学館集英社プロダクション）がある。

『全滅領域』ハヤカワ文庫ＮＶ、酒井昭伸訳

数多の奇想をもちいて描き出された現在という寓話　チャイナ・ミエヴィル

岸田大

1972年、イギリス、ノリッジに生まれる。その後ロンドン北西部ウィルズデンで育った。1998年、『キング・ラット』(村井智之訳、アーティストハウス)でデビュー。アーサー・C・クラーク賞、ローカス賞、ヒューゴー賞、世界幻想文学大賞など数々の賞を受賞する。その作風はSF、ファンタジー、ホラーなど多ジャンルにまたがる。代表作は『キング・ラット』『ペルディード・ストリート・ステーション』『都市と都市』『クラーケン』(以上いずれも日暮雅通訳、ハヤカワ文庫SF)『言語都市』(内田昌之訳、新★ハヤカワ・SF・シリーズ)など。

ミエヴィルの作風はなによりも様々なジャンルを往還しやがて解体してしまうその領域解体性にある。その舞台はさまざまな異形種たちが共存する都市国家としてしばしば設定され、それはエスニシティが混交しあう今日のグローバル状況におかれた都市のアレゴリーとして読み込むことができるだろう。ミエヴィルはその独自の想像力によってわたしたちの生きる混沌とした社会を寓意化し、現代そのものをまったく奇妙なものとして異化し続けている。

『都市と都市』ハヤカワ文庫ＳＦ、日暮雅通訳

受賞記録の更新を続ける、アメリカSF界の女王　コニー・ウィリス

中野伶理

アメリカ・コロラド州デンヴァー生まれのSF作家。大学を出て教職に就いた後、教員生活の中で小説を書き、1971年に短編「The Secret of Santa Titicaca」でデビュー。1992年の第2長編『ドゥームズデイ・ブック』（大森望訳、ハヤカワ文庫SF）と短編「女王様でも」（大森望訳『混沌（カオス）ホテル（ザ・ベスト・オブ・コニー・ウィリス）』ハヤカワ文庫SF収録）にてヒューゴー賞・ネビュラ賞・ローカス賞を同時受賞する快挙を成し遂げた。デビュー以来数多くのSF賞を受賞しており、アメリカSF界の女王に君臨し続ける稀代のストーリーテラーである。作品はSFであり、コメディであり、恋愛小説でもあり、歴史小説でもあり、なおかつ各ジャンルの醍醐味が濃縮して詰まっている。SFに親しみがない方にも楽しんでいただきたい、極上のエンタテイメントだ。

ウィリスは倫理や宗教を誠実に問い直しながら、筋の通らない主義主張や常識を笑い飛ばすユーモアを持ち合わせる。時に極端だが、親しみやすく魅力的なキャラクターたちのやりとりも読みどころの一つ。そうしたリーダビリティの高いストーリーの根底に知性への深い信頼を感じさせるのも、ウィリス作品の魅力といえよう。

『混沌（カオス）ホテル（ザ・ベスト・オブ・コニー・ウィリス）』
ハヤカワ文庫SF、大森望訳

奇想と叙情に満ちた新しい時代への歌　サラ・ピンスカー

池澤春菜

アメリカ・ニューヨーク出身のSF・ファンタジー作家、シンガーソングライター。デビュー小説『新しい時代への歌』で2020年ネビュラ賞長編小説部門を受賞。また、「Two Truths and a Lie（未訳）」でヒューゴー賞中編小説部門、短編集『いずれすべては海の中に』（市田泉訳、竹書房文庫）でフィリップ・K・ディック賞を受賞している。また同書は『SFが読みたい！　二〇二三年度版』でベストSF［海外編］の第二位に輝いている。

ピンスカーの書くものは奇想と叙情に満ちている。淡麗な筆致で描かれるのは、様々な状況に置かれた人々。2016年のインタヴューで「今まで語られることのなかったグループや個人的な経験について、言いたいことがある人には良い時代だ。SFは少し変わったレンズを通して世界を見ることができる。新しい体験にそのレンズを向けることはとても楽しい（筆者訳）」と語っているように、長編短編いずれも多様で多彩。名付けがたい心の機微や情景を描くのが抜群にうまい。

『新しい時代への歌』竹書房文庫　市田泉訳

理知的な魔法、情感にあふれた世界の描き手　アーシュラ・K・ル・グウィン

群嶋漁

アメリカはカリフォルニア出身の作家。SF小説『闇の左手』（小尾芙佐訳、ハヤカワ文庫SF）は、ヒューゴー賞・ネビュラ賞を同時受賞し、その名を世間に知らしめた。SFだけでなく、ファンタジーも手がけており『ゲド戦記』（清水真砂子訳、岩波少年文庫）シリーズや『西のはての年代記』（谷垣暁美訳、河出文庫）シリーズが主な著作である。

一般的なSF、ファンタジー小説の華々しさはむしろル・グウィンの小説では控えめだ。ファンタジックで飛躍した描写に甘えず、理論だった地に足のついた設定が作品を下支えしている。現代日本で科学技術が発展しているように、竜と魔法が存在する以上、それらは実生活に反映されるはずで、ル・グウィンの作品にはもしもが存在しない。世界を構築し、実証する。

そんな強固な世界観ではル・グウィンは他者との揺れ動く関係性を描く。特別な力を持っていようと、それを使っているのは人間に過ぎない。人間の情動と綿密に練られた設定は私たちを優しく包み込む。郷愁すら感じさせるル・グウィンの世界は何千年経っても普遍的であり続けるだろう。

『影との戦い：ゲド戦記 1』岩波少年文庫、清水真砂子訳

SFとファンタジーに王国を築いたグランドマスター
ロイス・マクマスター・ビジョルド

池澤春菜

アメリカ・オハイオ出身のSF・ファンタジー作家。父は高名な工学教授であり、ビジョルドもその影響を大きく受ける。長編小説『名誉のかけら』（小木曽絢子訳、創元SF文庫）でデビュー。その作品は20以上の言語に翻訳され、ヒューゴー賞を七回、ネビュラ賞を三回受賞した。また、〈ヴォルコシガン・サガ〉と〈五神教〉シリーズはヒューゴー賞ベストシリーズも受賞。そしてビジョルド自身に対してSFとファンタジーへの貢献に対して贈られるデーモン・ナイト記念グランドマスター賞が贈られた。

〈ヴォルコシガン・サガ〉はワームホールによって結びつけられた世界を舞台に、主人公のマイルズを中心に描かれる群像劇。封建的なバラヤーのヴォル階級のアラールと、社会民主主義的なベータ植民惑星のコーデリアの長男として誕生したマイルズは、出生時の両親暗殺未遂事件により非常に脆い骨と重度の障碍を持っていた。だが才覚と機転、そしてはったりと度胸で、自らの人生を切り開いていく。傑作SFシリーズ。

『ミラー衛星衝突　上』創元 SF 文庫　小木曽絢子訳

幻想的な世界に生きる人々の心の機微　ジョー・ウォルトン

昏月鯉影

ＳＦ、幻想小説作家。『アゴールニンズ』（和爾桃子訳、のち『ドラゴンがいっぱい！―アゴールニン家の遺産相続奮闘記』ハヤカワ文庫ＦＴに改題）で２００４年世界幻想文学大賞、『図書室の魔法』（茂木健訳、創元ＳＦ文庫）で２０１２年にヒューゴー賞、ネビュラ賞、英国幻想文学大賞を受賞。他にも、英国がナチス・ドイツと講和を結んだ世界を描いた歴史改変ＳＦである〈ファージング〉三部作（創元推理文庫）や、オンラインＳＦ雑誌Tor.comに投稿していた書評などを集めた『What Makes This Book So Great』（未訳、２０１５年ローカス賞ノンフィクション部門を受賞）、分裂した世界を描く『わたしの本当の子どもたち』（茂木健訳、創元ＳＦ文庫）などで高い評価を受けている。

『図書室の魔法』のモリのような、ＳＦや英国詩人に対するウォルトンの愛が作品の基盤を成している。しかしながら、ＳＦ的あるいは幻想的な世界よりもむしろ、その中で日々の人生を生きる登場人物たちの感情の機微に目を向け、精緻に描かれているのがウォルトンの大きな魅力であろう。それが時に純粋に、時に鋭いウィットを交えながら語られるので、思わず引き込まれてしまう。

『図書室の魔法』創元ＳＦ文庫、茂木健訳

好物を集め、情熱で焼成し、技巧と奇想で削り出す　ピーター・トライアス

榛見あきる

韓国ソウル生まれのアジア系アメリカ人作家・サイエンスライター。邦訳としては『ユナイテッド・ステイツ・オブ・ジャパン（以下USJ）』から始まる〈USJシリーズ〉が早川書房から刊行されている。一作目の『USJ』、そして二作目の『メカ・サムライ・エンパイア』が、それぞれ星雲賞の海外長編部門を受賞。待望のシリーズ完結編である『サイバー・ショーグン・レボリューション』（いずれも中原尚哉訳、新☆ハヤカワ・SF・シリーズ）が2020年に発売された。一作目のタイトル通り、舞台は日本合衆国（ユナイテッド・ステイツ・オブ・ジャパン）。WWⅡの勝敗が逆転した歴史改変SFとして幕を開けたシリーズは、ディックの「高い城の男」に影響を受けた（曰く「精神的な続編」）ポスト・サイバーパンクSFでありながら、骨太なサスペンスを軸に物語が進んでいく。

そしてなによりロボットがデカい。デカいロボットは強い。

日本文化に強い影響を受けたUSJのあとがきで語るように、巨大ロボット兵器以外にも、作中の随所で異国日本（ジャパネスク）は描かれる。作品に張り巡らされたトライアスの情熱は、私たちの日常に新奇性を与えてくれる。

『ユナイテッド・ステイツ・オブ・ジャパン』
新☆ハヤカワ・SF・シリーズ、中原尚哉訳

SFを武器に、世界の見方を変えていく　ユーン・ハ・リー

池澤春菜

アメリカ・ヒューストン出身のSF・ファンタジー作家。韓国とアメリカにルーツを持つ。数学を専攻し、中等数学教育の修士号を取得。アナリストやウェブデザイナー、数学を教えた経験がある。トランスジェンダーでクィア。

1999年に短編小説「The Hundredth Question」でデビュー。初長編である『ナインフォックスの覚醒』（赤尾秀子訳、創元SF文庫）でヒューゴー賞・ネビュラ賞候補、ローカス賞長編部門を受賞。ガードナー・ドゾワはリーを「SFを21世紀へ導く一翼を担う」と評した。

リーは「長い間、トランスのキャラクターを書くことを避けていた。自分自身がトランスであり、男性だと認識しているから。見ず知らずの人たちの娯楽のために、自分の手首を切ってページに書き込むことを要求されているような気がする」と語る。ジェダオが言葉という最も危険な武器で見つけた出口は、またリー自身の出口でもあった、と。

『ナインフォックスの覚醒』創元ＳＦ文庫、赤尾秀子訳

分かりあえなさと向かい合う　キジ・ジョンスン

昏月鯉影

アメリカ合衆国のＳＦ、ファンタジー作家、英文学研究者。

「26モンキーズ、そして時の裂け目」で２００９年世界幻想文学大賞短編賞、「スパー」および「ポニー」でネビュラ賞短編部門、「霧に橋を架ける」（以上いずれも三角和代訳、『霧に橋を架ける』創元ＳＦ文庫収録）にて２０１２年ヒューゴー賞・ネビュラ賞を受賞、さらに『猫の街から世界を見る』（三角和代訳、創元ＳＦ文庫）が２０１７年世界幻想文学大賞を受賞するなど優れた中短編ＳＦ・ファンタジー小説の書き手である。

ジョンスンの作品世界では、しばしば他者や「未知なるもの」との接触が描かれる。それでも分からないなりに「了解」し、触れ合うことで、登場人物たちは相手を受け入れる。他者や世界の不条理さとどう向き合うかという問題に悩む現代の私達を、そっと導いてくれるかもしれない。

『霧に橋を架ける』創元ＳＦ文庫、三角和代訳

傷つき悩む者たちへの温かなまなざし　マーサ・ウェルズ

佐倉きの

アメリカのＳＦ・ファンタジー作家。テキサスＡ＆Ｍ大学で人類学の学士号を取得しており、１９８６年に同大学で開催されたAggieCon 17では議長を務めた。１９９３年にファンタジー小説『The Element of Fire』（未訳）にてデビュー。ファンタジー小説を多数発表してきたが、２０１８年に〈マーダーボット・ダイアリー〉シリーズの第一作となる中長編「システムの危殆」にてヒューゴー賞、ネビュラ賞、ローカス賞を受賞。日本では同シリーズの４つの中長編をまとめた『マーダーボット・ダイアリー』（中原尚哉訳、創元ＳＦ文庫）が上下巻にて刊行され、第７回日本翻訳大賞を受賞した。

２０２１年にヒューゴー賞シリーズ部門をも受賞した〈マーダーボット・ダイアリー〉シリーズは、過去にモジュールの不具合によって大量殺人を犯した過去をもつ人型警備ユニット「弊機」が主人公。保護対象である人間の愚かさを嘆きつつ連続ドラマの視聴を何よりも愛する「弊機」の一人称での語りは、コミカルでありながらも他者との関係性や感情の機敏が丁寧に描かれており、著者の温かなまなざしが感じられる。

『マーダーボット・ダイアリー』創元ＳＦ文庫、中原尚哉訳

その視線は未来を幻視する、稀代のフューチャリスト　ニール・スティーヴンスン

池澤春菜

アメリカ・メリーランド出身のＳＦ作家・テクニカルライター、フューチャリスト。また、ジェフ・ベゾスが設立した航空宇宙企業ブルーオリジンのアドバイザーも務める。

初邦訳は『スノウ・クラッシュ』（以下すべて日暮雅通訳、ハヤカワ文庫ＳＦ）。刊行は１９９２年だが、最近話題になり30年ぶりに復刊された。近年話題のメタバースという言葉は初出がこの小説。Oculus や Google の創業者、そしてザッカーバーグの愛読書だと言われる。舞台は政府の力が弱くなり、フランチャイズ国家と呼ばれる小規模な集団が分割統治する近未来アメリカ。主人公のヒロ・プロタゴニストは凄腕のピザ配達人にしてフリーランス・ハッカー、そしてメタバース内最強の剣士。

あらゆるものをナノテクノロジーで作り出せるようになった世界を描く『ダイヤモンド・エイジ』、七つに分裂した地球からの脱出を描く『七人のイヴ』など、その作品はＳＦ的思弁に満ちている。

『スノウ・クラッシュ〔新版〕』ハヤカワ文庫ＳＦ、日暮雅通訳

ハードな味わいのヤングアダルト　フィリップ・リーヴ

橋本輝幸

　1966年、英国ブライトン生まれ。2000年代からヤングアダルトと児童書の小説家として活躍。英国の歴史や文化を踏まえたユニークな世界設定の冒険小説を得意とする。代表作は〈移動都市〉四部作（安野玲訳、創元SF文庫）だ。舞台は戦争を経て荒廃した未来。都市は移動要塞と化し、弱い都市は強い都市に食われて資材はリサイクルされ、住民は奴隷になる。孤児少年トムは、所属ギルドの長の暗殺未遂に巻きこまれ、顔にすさまじい傷をもつ少女ヘスターに出会う。大筋こそボーイ・ミーツ・ガールものだが、殺しや大勢の犠牲も辞さないヒロインをはじめ、アクの強い登場人物や多数の勢力のせめぎ合いがもたらす味わいは甘くない。第一巻『移動都市』は2007年に星雲賞海外長編部門を受賞し、2010年にNHK-FM放送の番組でラジオドラマ化された。ニュージーランド・米国合作で映画化もされている（『移動都市／モータル・エンジン』）。

　他に、十九世紀末に英国が宇宙進出している設定の児童書『ラークライト 伝説の宇宙海賊』『スタークロス』や、『オリバーとさまよい島の冒険』『アーサー王ここに眠る』が翻訳されている。

『移動都市』安野玲訳、創元ＳＦ文庫

ヘヴィな哲学的探求とキュートな異星生物　ピーター・ワッツ

渡邊清文

カナダのSF作家、海洋生物学者。長編『ブラインドサイト』（以下すべて嶋田洋一訳、創元SF文庫）と続編『エコープラクシア　反響動作』、中編と関連短編収録の『6600万年の革命』、短編集『巨星』（〃）がある。『ブラインドサイト』は多数の国で翻訳され、2014年星雲賞の他、諸外国で受賞歴がある。中短編では『巨星』収録の「島」で2010年ヒューゴー賞、同じく「遊星からの物体Xの回想」で2011年シャーリイ・ジャクスン賞を受賞。

意識と知性、自由意志といったテーマを中核に置き、重苦しいストーリーが展開するにも関わらず、異形かつキュートな異星生物や奇抜な世界観と、必ずしも人間ではない登場人物たちの人間性の魅力によって読ませる。例えば『ブラインドサイト』は『2001年宇宙の旅』のような深宇宙探査を行うが、乗組員は吸血鬼の船長を筆頭にキャラと設定が際立ち、『エイリアン』の如き無敵の生物が襲ってくる。短編では「物体X」やドローン搭載AIの主観から意識のありようを描く。作者本人による科学考証の解説である膨大な「参考文献」が巻末に付されるのも愉しみである。

『ブラインドサイト』創元ＳＦ文庫、嶋田洋一訳

なつかしさの中にも現代性が潜むスペースオペラ　アーカディ・マーティーン

橋本輝幸

　1985年生まれ、ニューヨーク出身のユダヤ系アメリカ人。創作には筆名を使用している。ビザンツ帝国史の博士号を修め、2010年代は歴史学研究者として働くかたわら、短編小説を発表していた。都市およびコミュニティ計画も修士号を取得し、現在はニューメキシコ州で政策アドバイザーを務める。同性婚しており、妻と共に暮らす。

　彼女のデビュー長編『帝国という名の記憶』とその続編『平和という名の廃墟』はどちらもヒューゴー賞長編部門を受賞し、ネビュラ賞とローカス賞の候補になった（以上いずれも内田昌之訳、ハヤカワ文庫ＳＦ）。なつかしさと現代らしさを併せ持つ同シリーズの主人公は、辺境の採鉱ステーション共同体から銀河の覇権をにぎる帝国に赴任した新人大使マヒート。彼女と案内役の帝国官僚スリー・シーグラスが思惑や忠義、因縁や愛が絡みあう抗争に巻きこまれていく、政治スリラー主体のスペースオペラである。二巻とも設定や独自用語が多く、序盤はとっつきにくさがあるが、巨大な危機が明らかになっていく中盤以降に盛り上がる。国家や集団、歴史や記憶の継承、言語コミュニケーションもシリーズの主柱だ。

『帝国という名の記憶』内田昌之訳、ハヤカワ文庫ＳＦ

現代SFの基礎を築き上げた黄金期の本流　アイザック・アシモフ

岸田大

1920年生。幼少期にアメリカに移住しニューヨーク、ブルックリンにて育つ。1939年「真空漂流」を皮切りに数々の作品を多数執筆し、SF黄金期を支えた。クラーク、ハインラインと共にビッグ・スリーと呼ばれ、作家として不動の地位を築く。代表作は『われはロボット』（小尾芙佐訳、ハヤカワ文庫SF）〈ファウンデーション〉シリーズ（岡部宏之訳、ハヤカワ文庫SF／鍛治靖子訳、創元SF文庫）、『鋼鉄都市』（福島正実訳、以下いずれもハヤカワ文庫SF）、『はだかの太陽』（小尾芙佐訳）『ミクロの決死圏』（高橋泰邦訳）『夜来る』（美濃透訳）など多数。

アシモフといえば、ロボット三原則の概念を提出したロボットものの作家としていまでも有名であるが、その作品はロボットものに留まらず、壮大な宇宙規模の未来史に基づく大河シリーズ、あるいはミステリーといった様々な側面がある。

アシモフの遠未来まで見通すような果てしない想像力は長大な宇宙叙事詩を書いたクラークにひけを取らないし、その社会に対する洞察はハインラインにも決して劣らない。アシモフはロボットもの一ジャンルの巨匠としてではなく、SFの本流を貫くまごうことなき巨大な作家なのである。

『われはロボット〔決定版〕』ハヤカワ文庫SF、小尾芙佐訳

SFと幻想小説の境目で、中毒性のある世界を展開　クリストファー・プリースト

中野伶理

イギリス・マンチェスター州マンチェスター出身のSF作家。会計士事務所に勤める傍ら執筆した短編「逃走」が初めてSF誌「インパルス」誌に掲載される。第3長編『逆転世界』（安田均訳、創元SF文庫）で英国SF協会賞を受賞、同書はヒューゴー賞の最終候補となり、同年の作家投票で人気SF作家No.1に輝く。その他、アーサー・C・クラーク賞、世界幻想文学大賞など多様な賞を受賞、現代英国SFを代表する作家の一人として活躍中。『奇術師』（古沢嘉通訳、ハヤカワ文庫）はクリストファー・ノーラン監督の映画『プレステージ』の原作となった。

プリーストは、1960年代に発生した、SFの可能性を広げる実験的な運動であるニュー・ウェーブの作家にも位置づけられ、SFと幻想小説の境にあるような文芸性のある作風を特徴とする。斬新なアイデア、予想を裏切る展開、日常が崩壊していくような景色は中毒性があり、とりわけ語りの技巧が素晴らしい。洗練された「語り」＝「騙り（かたり）」がもたらす現実の歪みは多くのプリースト作品の根幹を成し、驚きに満ちた結末を導く。

『奇術師』ハヤカワ文庫、古沢嘉通訳

他者へ手を伸ばし続けることで綴られるやさしさ　キム・ヨチョプ

やらずの

2017年、第2回韓国科学文学賞中短編部門にて大賞と佳作を同時受賞し、作家としてのキャリアをスタート。女性を中心に共感を集め、受賞作2編を含む短編集『わたしたちが光の速さで進めないなら』（カン・バンファ、ユン・ジョン訳、早川書房）はベストセラーとなる。邦訳版もSNSなどを通じて話題となり、新世代作家として国内でも注目を集めている。

「どこでどの時代を生きようとも、お互いを理解しようとすることを諦めたくない」（『わたしたちが光の速さで進めないなら』筆者あとがきより）と語っているように、ヨチョプの作品はいつも「他者と理解しあうこと」という困難で普遍的な問題へと立ち向かっている。異星知性生命体とのファースト・コンタクトや長大な宇宙航行などSFの醍醐味である壮大な仕掛けを用いながら、そこで生きる人々のつながり、出会いや別れ、それに伴う心の機微を素朴かつ切実な文章で描くのがとてつもなくうまい。物語の辿り着く先は必ずしもハッピーエンドではないが、優しさと温もりを感じられる軽やかな読後感も素敵だ。

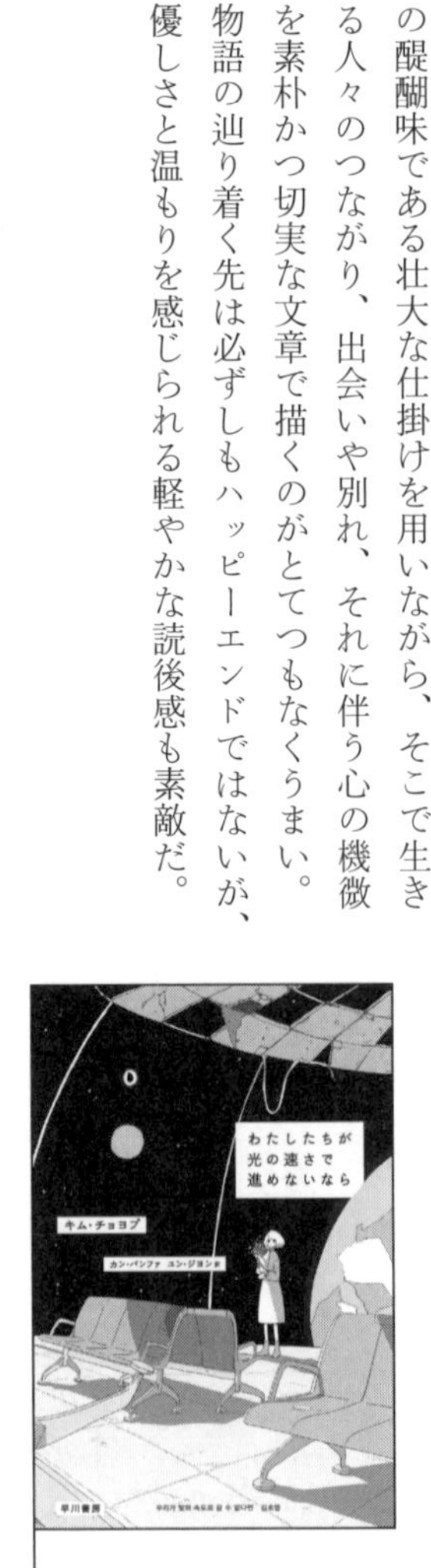

『わたしたちが光の速さで進めないなら』
早川書房、カン・バンファ、ユン・ジヨン訳

今なお注目すべきもっとも現代的な作品群　ジェイムズ・ティプトリー・ジュニア

岸田大

1915年、アメリカ・シカゴに生まれる。本名はアリス・ブラッドリーであり、ティプトリー名義のほかにラクーナ・シェルドンという別名義も持つ。SF作家としては1968年にデビュー。ネビュラ賞、ヒューゴー賞、ローカス賞、世界幻想文学賞等の受賞歴があり、現在においても読まれている作家の一人である。代表作は『輝くもの天より堕ち』（以下すべて浅倉久志訳、ハヤカワ文庫SF）『愛はさだめ、さだめは死』『たったひとつの冴えたやりかた』など。

ティプトリーは子ども時代をアフリカ、インドで過ごし、その後はアーティストを志し、やがてはCIAに勤めたという謎めいた経歴に満ちている。1977年まで、男性作家として知られていたが、それ自体がジェンダーを攪乱して描かれるティプトリーの作品の示唆であるようで興味深い。実際その作品はサイバーパンク以前のサイバーパンクである「接続された女」（『愛はさだめ、さだめは死』収録）や「愛はさだめ、さだめは死」などにみられるように意識と身体の乖離というモチーフがしばしば現れている。その射程は作家の死後の現在において十分に捉えられたものであり、極めて先駆的なものであるといえよう。

『たったひとつの冴えたやりかた』ハヤカワ文庫ＳＦ、浅倉久志訳

SFへの深い愛とユダヤの歴史が交差する世界　ラヴィ・ティドハー

難波行

1976年生まれ。イスラエルのキブツで育ち、現在は英国在住。長編では2012年『Osama』（未訳）で世界幻想文学大賞を受賞、短編はフィリップ・K・ディック賞、スタージョン記念賞など多くの賞にノミネートされている。また母語であるヘブライ語を中心に、さまざまな言語で書かれた近年のSF作品を英訳し紹介するアンソロジー『The Best of World SF』も編纂している。既訳に『ブックマン秘史』3部作（小川隆訳、早川書房）、『完璧な夏の日』（茂木健訳、東京創元社）などがある。

ティドハーの作品にはSFをはじめとする古今東西のフィクション、史実を彷彿とさせる人物や設定が多数登場する。そこに作家の出自に関わるテーマが折り重なり、複雑なメタフィクションとなっているが、戦争もの、ミステリーなどジャンルものとしても楽しむことができる。SFへの造詣とリスペクトに裏打ちされたこの多面性が、最大の魅力といえる。

アウシュビッツに収容された作家がヒトラーへの復讐を試みる『黒き微睡の囚人』（押野慎吾訳、竹書房文庫）は、難民問題など現代と通じ、一冊目にオススメ。

『黒き微睡の囚人』竹書房文庫、押野慎吾訳

SFを通して、世界の境界線を引き直す　ンネディ・オコラフォー

池澤春菜

アメリカ・オハイオ出身のSF作家。両親はナイジェリアのイボ族。2001年『Amphibious Green』（未訳）でハーストン・ライト賞受賞。邦訳はまだ『ビンティ―調和師の旅立ち―』（月岡小穂訳、新☆ハヤカワ・SF・シリーズ）のみだが、アメリカでの著作は多く、世界ファンタジー賞最優秀小説賞をはじめ、ローカス賞ヤングアダルト部門、ネビュラ賞とヒューゴー賞の中長編小説部門など、数々の賞を受賞している。

オコラフォーは自身をナイジェリア系アメリカ人ではなくNigamericanと称し、双方の文化の影響が大きいと言う。アフリカンフューチャリズム、またはアフリカンジュジュイズムを提唱し、インタヴューで「その境界線上に生きていることは、SFやファンタジーを書くことになった理由。複数視点から物事を見ることができ、アイデアやストーリーをユニークな方法で描き出せる（筆者訳）」と語っている。オコラフォーは、アフロフューチャリズムという言葉は奴隷として連れてこられたアフリカ人を語源としており米国中心主義的な見方であることから、よりアフリカ文化、テーマ、歴史に焦点を当てたアフリカンフューチャリズムを使用している。

『ビンティ―調和師の旅立ち―』新☆ハヤカワ・SF・シリーズ、月岡小穂訳

日本とも縁の深いハードSFの王道　J・P・ホーガン

中野伶理

イギリス、ロンドン出身のSF作家。工業専門学校で学び、技術者やセールスマンとして働きながら執筆した『星を継ぐもの』（池央耿訳、創元SF文庫）でデビュー。同書は日本での人気が非常に高く、日本のSF賞である星雲賞の海外長編部門を獲得し、星野之宣の手によって漫画化もされている。なおホーガンは星雲賞を計3回受賞しており、1996年に大阪府吹田市で開催された第25回日本SF大会（DAICON5）に海外ゲストとして参加するなど、日本と縁が深い作家である。

ホーガンの作品は、科学の整合性や論理性を重視するハードSFに分類される。近未来を舞台とすることが多く、作中では科学と社会の理想的な結びつきが課題となっており、ホーガン自身のテクノロジーと理性への深い信頼を感じさせる。『星を継ぐもの』を筆頭に、SFの緻密な設定とミステリーの謎解きの快感を兼ね備えた作品が多いのも特徴の一つ。その他の代表作に『揺籃の星』（内田昌之訳、創元SF文庫）、『断絶への航海』（小隅黎訳、ハヤカワ文庫）などがある。

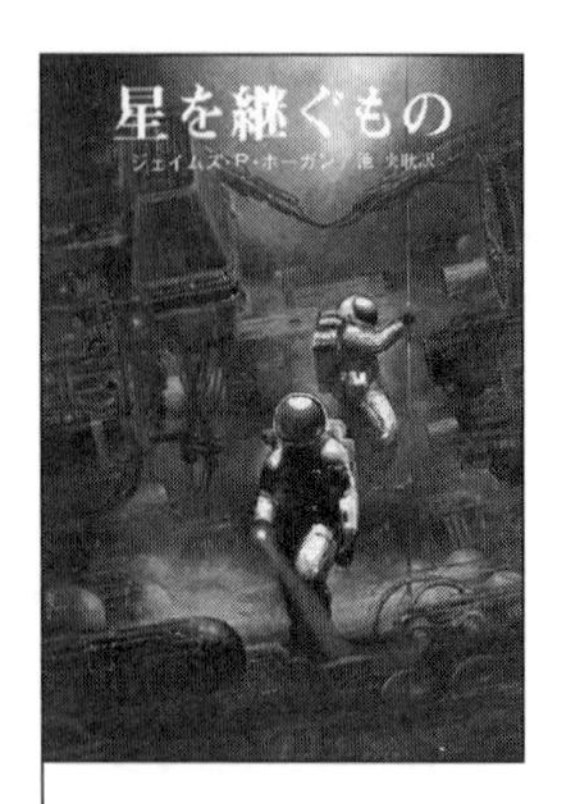

『星を継ぐもの』創元SF文庫、池央耿訳

アイデアの奔流と炸裂する奇想　バリントン・J・ベイリー

渡邉清文

　英国バーミンガム出身のSF作家。1970年代から長編を発表し、80年代に日本でも紹介されるようになるとSFファンの間で熱狂的な人気を得た。代表作『カエアンの聖衣』（大森望訳、ハヤカワ文庫SF）、『時間衝突』（大森望訳、創元SF文庫）が、それぞれ1984、1985、1990年の星雲賞海外長編部門を受賞している。それぞれ、「文字どおり、服は人なりの世界」「究極兵器・禅銃を持った小姓が銀河帝国で」「過去から未来へ流れる時間線と反対方向の時間線が正面衝突」といった話である。ちょっと言ってることが分からないかもしれないが、これでもネタバレに配慮した説明にすぎない。どの小説も、このあと怒涛の展開が続き、テーマを突き詰めて真理に近づく。無関係にみえるガジェットも山ほど出てくるし、飽きることなくストーリーが動き回る。

　書かれてから40年以上経つのに、ディテールが意外にも古びていないところも楽しめるポイント。『禅銃』の宇宙戦艦のブリッジがAR／VR満載であったり、いっそ現代的。他のSF作家から中島かずきのアニメまで、後続への影響も大きい。1937年生、2008年没。

『禅銃〈ゼン・ガン〉』ハヤカワ文庫SF、酒井昭伸訳

『禅銃〈ゼン・ガン〉』（酒井昭伸訳、ハヤカワ文庫SF）

はるか遠い人類史を綴る熟達の職人　コードウェイナー・スミス

遠野よあけ

生前のスミスは素性を隠して執筆活動をしていた。没後明かされた本名はポール・マイロン・アンソニー・ラインバーガー。１９１３年アメリカ生まれ。中国を中心とする極東政治の専門家であり、大学教授、米国陸軍情報部員、外交官、心理戦の研究者としても優秀な人物だった。

１９５０年の「スキャナーに生きがいはない」発表から66年に亡くなるまで、長編一作と短編三十数作を執筆。現在それらは『ノーストリリア』（浅倉久志訳、ハヤカワ文庫ＳＦ）『人類補完機構全短篇１〜３』（伊藤典夫、浅倉久志、酒井昭伸訳、ハヤカワ文庫ＳＦ）にて読むことができる。

『ノーストリリア』を含むほぼ全ての作品は、１７０世紀にまでおよぶ遠い人類史を描いたサーガ、〈人類補完機構〉シリーズとして書かれている。衰退した地球。人類補完機構を自称する支配者たち。人類精神の数千年間の停滞とその乗り越え。そのような遠い未来を書くうえでの困難は、その遠さに応じた言葉と物語を編み出すことにあるが、スミスはその困難を軽々と越えていく。スミスの書く言葉と物語には、はるか遠い未来を生きる人類の息遣いが宿っていて、その気配が我々読者に未知と親しみを感じさせてくれる。

『ノーストリリア』ハヤカワ文庫ＳＦ、浅倉久志訳

すべてを未来に変える眼差しを持つ詩人　ウィリアム・ギブスン

渡邉清文

アメリカ出身カナダ在住の作家。第一長編『ニューロマンサー』でネビュラ賞、ヒューゴー賞、P・K・ディック賞を受賞。「サイバーパンク」はギブスンの発明した言葉ではないが、その作品を表す言葉とされ、代表的作家とされる。

その魅力は、テクノロジーとグローバル経済の影響を自明のものとして捉える世界認識、ストリート、廃墟、モダンアートなどを好む美意識、そして現代詩のような文体にある。『ニューロマンサー』と続編『カウント・ゼロ』、『モナ・リザ・オーヴァドライブ』については、「電脳空間（サイバースペース）」「千葉市（チバ・シティ）」といったルビを多用した黒丸尚の翻訳も読みどころだ。

ブルース・スターリングとの合作による『ディファレンス・エンジン』は19世紀の改変歴史世界を舞台にし、蒸気機関コンピュータが稼働している世界を描く。

数少ない短編は、ほとんどが『クローム襲撃』（以上いずれも黒丸尚訳、ハヤカワ文庫SF）に収録されており、ほかにアンソロジー『この不思議な地球で』（巽孝之編、紀伊國屋書店）所収の「スキナーの部屋」（浅倉久志訳）がある。

『ニューロマンサー』黒丸尚訳、ハヤカワ文庫ＳＦ

御三家の一人にして、SFを世に広めた巨匠　ロバート・A・ハインライン

中野伶理

アメリカ、ミズーリ生まれのSF作家。カリフォルニア大学大学院で数学と物理学を専攻する。SF界を代表する作家の一人で、アイザック・アシモフ、アーサー・C・クラークと並び、御三家（ビッグ・スリー）の一人に位置づけられる。『宇宙の戦士』（内田昌之訳、ハヤカワ文庫SF）、『ダブル・スター』（森下弓子訳、創元SF文庫）、『異星の客』（井上一夫訳、創元SF文庫）、『月は無慈悲な夜の女王』（矢野徹訳、ハヤカワ文庫SF）にてヒューゴー賞の長編小説部門を4回受賞している。作品をSF雑誌ではなく主流雑誌に掲載することで、SFが広く知られるきっかけをつくり、映画化された作品も複数ある。日本では、ロマンチックで瑞々しい時間SF『夏への扉』（福島正実訳、ハヤカワ文庫SF）の人気が高い。

ハインラインは、人間社会への深い考察を行う社会派SFの流れを生み出したが、自身は科学の整合性や論理性を重視するいわゆるハードSFの作家とも見なされる。作品は、近未来における地球やその周辺の惑星や衛星を舞台とすることが多く、実際の科学と社会の延長線上で捉えられた未来設定や、人間ドラマのリアリティに定評がある。

『宇宙の戦士〔新訳版〕』ハヤカワ文庫、内田昌之訳

現代日本文学の源流としてのヴォネガット　カート・ヴォネガット・ジュニア

岸田大

1922年、アメリカインディアナ州に生まれる。1950年「バーンハウス効果に関する報告書」（『カート・ヴォネガット全短篇2』早川書房収録）でデビュー。そのウィットとユーモアに満ちた飄々とした文体はSF界のみならず広く支持を得ている。代表作は『プレイヤー・ピアノ』（浅倉久志訳、以下いずれもハヤカワ文庫SF）『タイタンの妖女』（浅倉久志訳）『猫のゆりかご』（伊藤典夫訳）『スローターハウス5』（伊藤典夫訳）など。

ヴォネガットの作品は皮肉とユーモア、ある種の諦念の確信に満ちているがどこか明るさを失わない独特の魅力で包まれている。日本においては村上春樹などの1970年代後半から1980年代の作家に影響を与えたことが指摘されているが、それはヴォネガット特有の「軽さ」が現代日本文学の分水嶺において求められたということでありその事実は極めて重要な事実であろう。ヴォネガットの作品は人類に対するペシミズムに充ちているが同時にその視線は温かく優しい。その作品は人間の自由意志も神も認めないが、愛とヒューマニズムが感じられ現在においても読者を魅了し続けている。

『タイタンの妖女』ハヤカワ文庫ＳＦ、浅倉久志訳

SFの歴史を変えた現代SFの岐路に立つ孤高の作家　J・G・バラード

岸田大

1930年上海生まれ。その後イギリスに帰還。1956年「プリマ・ベラドンナ」（浅倉久志訳『ヴァーミリオン・サンズ』早川書房収録）でデビュー。思弁的な作風で知られ、60年代には芸術性と実験性に基づいた「ニュー・ウェーブ」と呼ばれる運動を主導した。代表作は『結晶世界』（中村保男訳、以下いずれも創元SF文庫）『クラッシュ』（柳下毅一郎訳）『ハイ－ライズ』（村上博基訳）『終着の浜辺』（伊藤哲訳）など。また日本軍の捕虜収容所での経験をもとにして書かれた半自伝的小説『太陽の帝国』（山田和子）はジェイムズ・テイト・ブラック記念賞を受賞した。

バラードは思弁的で難解であり、その作品はしばしば寓意的であるが文体には特異な美しさがありその人気は決して低いものではない。その作風は現代社会に対して極めて批判的であり、同時に明らかに攻撃的でもある。バラードは美しさと思弁性を伴いながら同時に性と暴力という人間の野蛮さを描き出す。バラードが作り出した「ニュー・ウェーブ」という「内宇宙への旅」は思弁性を孕む現代SFへと続く一つの分岐点であり、今日のSFの最重要な参照点であるのは間違いない。

『クラッシュ』創元SF文庫、柳下毅一郎訳

さらなる翻訳が待たれる昆虫SFの旗手　エイドリアン・チャイコフスキー

猿場つかさ

現代で生物ＳＦ、特に昆虫ＳＦを書かせれば右に出る作家はいないだろう。英レディング大学で動物学と心理学を専攻した彼は優れたファンタジーの書き手でもあり、作品では、蜘蛛、蟻、ワームをはじめとする昆虫種族や昆虫の能力を持つ人類が扱われることが多い。ときに強大な力や異なる認識体系を持つ異種族との共生・共闘・敵対が高い解像度で描かれる。蝶や蜘蛛といった人以外のキャラクターのほうが人よりも魅力的であるのと、物語自体のスケールが数千年単位、惑星全体の覇権争いのものが多く圧倒される。

邦訳は竹書房文庫からの『時の子供たち』（内田昌之訳）だけなのが惜しいところ。２０１６年度アーサー・Ｃ・クラーク賞受賞作である本作は知性を持った蜘蛛と人類のファースト・コンタクトものとも言え、蜘蛛と人間のパートが交互に語られて進む物語は、作中では「精神のパンデミック」を使ったある能力の獲得というスケールの大きい結末を迎える。

人類以外の視点で進む巨大な物語に日常のアレコレをぶっ飛ばしてもらう。ＳＦにそういう期待をする読み手に全力で勧められる作家だ。

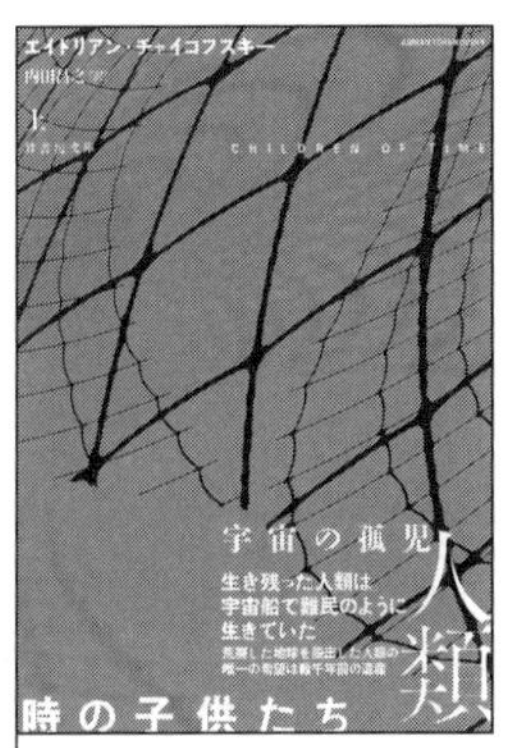

『時の子供たち』竹書房文庫、内田昌之訳

軽妙な神話、荘厳なユーモア　R・A・ラファティ

茂木英世

ラファティは、1960年代後半から1970年代前半のアメリカSF界を主戦場に、ユーモアと幻想の混じった、多層的な物語を世に放ち続けた作家である。

日本でも、1981年に邦訳された短編集『九百人のお祖母さん』（浅倉久志訳、早川書房）を皮切りに、数年おきに刊行されていたが、2016年の『地球礁』（柳下毅一郎訳、河出書房新社）復刊以降、なかなか焦点が当たる事はなかった。だが2021年に編まれた『ラファティ・ベスト・コレクション』に続き、全編初邦訳の短編集『とうもろこし倉の幽霊』（井上央訳、早川書房）が2022年頭に刊行されるなど、再評価の機運は高まっている。

SFをほぼ読まずに育ったというラファティは、代わりに培ってきた様々な言語や神話、世界文学の知識を混ぜ合わせ、軽妙な語り口で披露する。それはまるで千鳥足で現実と幻想を跨ぐ酔っ払いのようだ。語られる噂話の中には不意に別宇宙の影が映り、くだらないホラ話と思えば壮大な神話がいつしか繰り広げられている。禁酒で空いた心の穴を埋めるべく書かれた彼の物語は、読者に二日酔いのない上質な酩酊をもたらしてくれる。

『ラファティ・ベスト・コレクション1　町かどの穴』
ハヤカワ文庫SF、牧眞司編、伊藤典夫・浅倉久志・他訳

東側作家というオルタナティヴを越えてその普遍的な作品群　スタニスワフ・レム

岸田大

1921年生。1946年に発表された「火星から来た男」でデビュー。現ウクライナ領リヴィウにあたるポーランドのルヴフに生れ、東欧SFの第一人者として知られる。社会主義国出身でありながら、寓話的で思弁的なその独特な作風は西側諸国においても高く評価されており世界的な名声を得ている。代表作は『ソラリス』（沼野充義訳）『エデン』（小原雅俊訳）『泰平ヨンの航星日記』（深見弾訳、以上ハヤカワ文庫SF）『完全な真空』（沼野充義、工藤幸雄、長谷見一雄訳、河出文庫）『虚数』（長谷見一雄、西成彦、沼野充義訳、国書刊行会）など他多数。

レムはその出自もあり、英米圏作家が中心となりがちなSFのなかでもオルタナティヴな地位を築いている。だがその作品の価値は東側作家という側面に留められるものではなく、圧倒的な思弁に基づいたその作品世界は世界文学を担いうる強度を誇っている。『ソラリス』にせよ、実在しない書物による書評集という非常に文学性を感じさせるメタフィクションの傑作『虚数』にせよ、その作品はあらゆる意味でレムをただ一人の特異な作家にしている。レムが残したその作品と思想は東西を越えて、またSFと文学という垣根を越えて今後も必要とされ続けるだろう。

『ソラリス』ハヤカワ文庫ＳＦ、沼野充義訳

オリエンタルな宇宙を生きる女たちの群像劇　アリエット・ド・ボダール

難波行

1982年生まれパリ在住。ネビュラ賞をはじめ、ローカス賞やヨーロッパSF協会功労賞、英国SF協会賞などを受賞。フランス人の父とベトナム人の母を持ち、母語は仏語だが英語で執筆している。

『茶匠と探偵』（大島豊訳、竹書房）を始めとする短編の多くは〈シュヤ宇宙〉という世界を舞台としている。15世紀、アメリカ大陸を中国が発見することで展開していくその世界は、アジアが支配的な力を持ち、人間が宇宙で暮らす時代になっても儒教的な考え方が根付いている。生きている宇宙船〈有魂船〉をはじめとする有機的なテクノロジーや、随所に登場する美味しそうな料理も、東洋風で楽しい。

主人公のほとんどは女性。「親子関係、特に母娘の関係を書きたい」「出産、そして妊娠が中心となる物語を作りたかった」とインタヴューでも答えているように、彼女たちは広い宇宙で社会的に活躍しながらも、価値観の違う家族との確執、産む性であること、また時として同性のパートナーとの関係に悩んでいる。その姿は、現代の女性とも重なる。

『茶匠と探偵』竹書房、大島豊訳

現代スペースオペラの旗手　アレステア・レナルズ

橋本輝幸

1966年、英国ウェールズ生まれ。博士号取得後に欧州宇宙技術センターに就職するが、2004年から専業SF作家になる。2000年以降、現代流スペースオペラのトップランナーの一人として活躍を続ける。

代表作は〈啓示空間〉シリーズ。宇宙進出した人類が身体改造者「ウルトラ属」や、脳を改造して集団知性化した「連接脳派」などの派閥に分かれて散った未来の様々な時代や登場人物が描かれる。日本では2000年代に長編『啓示空間』『カズムシティ』『量子真空』と短編集二冊『銀河北極』『火星の長城』が出版された（すべて中原尚哉訳、ハヤカワ文庫SF）。短編集はホラー、スリラー、ラヴロマンスなどバラエティーに富んでいる。08年に「ウェザー」（『火星の長城』収録）が星雲賞海外短編部門を受賞した。2011年以降、レナルズの翻訳はしばし途絶えたが2020年からは短編が収録されたアンソロジーが続けて出版されている。

Netflix のSFドラマ『ラブ、デス&ロボット』一期の原作として短編二作が採用され、うち一編の原作「ジーマ・ブルー」で2021年に再び星雲賞を受賞。

『火星の長城』ハヤカワ文庫SF、中原尚哉訳

読者の感情を掻き乱す「語り」の天才　オースン・スコット・カード

冬乃くじ

1951年ワシントン州生。1977年に短編「エンダーのゲーム」(金子浩訳『無伴奏ソナタ』収録)でデビュー、キャンベル賞を受賞。長編化した『エンダーのゲーム』(田中一江訳)と続編『死者の代弁者』(中原尚哉訳、すべてハヤカワ文庫SF)で、1985年と翌年のヒューゴー賞・ネビュラ賞を2年連続独占受賞する。敬虔なモルモン教徒で、デビュー前は宣教師をしていた。その宗教観が色濃く出た作品は読者を選ぶが、宗教という重力から少しだけ解放されたとき、カードの語り手としての威力は最大限に発揮される。最たる例が『無伴奏ソナタ』『エンダーのゲーム』『死者の代弁者』だ。それぞれ音楽SF、無重力ミリタリーSF、生態学SFだが、どの特殊環境も臨場感をもって語られ、宗教性は物語に深みを与えている。卑近な人間模様で共感を誘いながら高次の葛藤までつれていき、予感を保ちながら謎の核心へ迫る。高まる緊張と絶妙な緩和に涙腺を刺激され、読み始めたら止まらない。惜しむらくは同性愛への古びた偏見を感じさせる箇所がある点。カードは、自身の同性愛者への差別発言と同性婚の権利を奪う政治活動のため、2020年の文学祭Celsius232で作家達からボイコットを受けている。

『無伴奏ソナタ』ハヤカワ文庫SF、金子浩、金子司、山田和子訳

今なお燦然と輝くSF界の巨星　アーサー・C・クラーク

冬乃くじ

　１９１７年イギリス生。第二次大戦中に空軍入隊、レーダー研究に従事。１９４５年、世界で初めて通信衛星構想の論文を発表。翌年に除隊、キングス・カレッジで物理学と数学を学び、最優秀成績で理学士号を取得する。作家デビュー間もなく『幼年期の終り』（福島正実訳、以下すべてハヤカワ文庫ＳＦ）などオールタイムベストに挙げられる名作を次々発表、ＳＦ界の礎を築く。１９６８年、スタンリー・キューブリック監督と共同で脚本を執筆した映画『２００１年宇宙の旅』が公開。同年に刊行された同名小説（伊藤典夫訳）で、クラークの地位は不動のものとなる。宇宙エレベーター建設のため技師が奮闘する『楽園の泉』（山高昭訳）（ヒューゴー賞・ネビュラ賞を独占受賞）など、著作物は百を超える。緻密に構築された世界を鋭い洞察力で限なく描き、「充分に進歩したテクノロジーは魔法と見分けがつかない」と、人類に壮大な夢を見せた。その科学的知見に裏打ちされた大胆な未来予想と遙かなヴィジョン、詩性とユーモアを備えた明晰な語り口は、現代の読者をも魅了するだろう。２００８年に没するまで活躍し続けた。墓石には「彼は決して大人にはならなかった――しかし、成長を止めることもなかった」と刻まれている。

『幼年期の終り』ハヤカワ文庫ＳＦ、福島正実訳

分かち合うことに人の可能性を見続けたSFの巨人　P・K・ディック

やらずの

数多くの作品を残し、ＳＦ史を語る上では欠かすことのできないアメリカＳＦ界の巨匠。１９６３年に『高い城の男』（浅倉久志訳、以下すべてハヤカワ文庫ＳＦ）でヒューゴー賞、１９７５年に『流れよ我が涙、と警官は言った』（友枝康子訳）でジョン・Ｗ・キャンベル記念賞、１９７８年に『スキャナー・ダークリー』（浅倉久志訳）で英国ＳＦ協会賞を受賞。また映画「ブレードランナー」の原作でもある『アンドロイドは電気羊の夢を見るか？』（浅倉久志訳）など多くの作品が映像化された他、後世の作家や映画、現代思想など与えた影響も多岐にわたる。

ディックの作品ではしばしばアンドロイドや遺伝子改造人間のスイックスなど、人間と対比される存在が描かれている。この二つの存在の特徴は人間を凌駕する性能の代わり、感情に乏しく、共感性に欠落があるという点だ。つまるところディックは逆説的に、共感や感情などにスポットライトを当てながら人間を描き出している。現実の脆さなど様々なテーマを巧みな展開で描き切るディックだが、泥臭いヒューマニティと作品世界で生きる人々のドラマは、人間の可能性への切実な願いを感じさせてくれる。

『流れよ我が涙、と警官は言った』ハヤカワ文庫ＳＦ、浅倉久志訳

透徹した視座で描かれる永遠の真夜中の都市　チャーリー・ジェーン・アンダーズ

たかp

アメリカ・コネチカット出身のＳＦ・ファンタジー作家、コメンテーター。２０１２年「Six Months, Three Days」（未訳）でヒューゴー賞中編部門を受賞。２０１７年『空のあらゆる鳥を』でネビュラ賞長編部門・ローカス賞ファンタジイ長編部門・クロフォード賞を受賞。２０２０年『永遠の真夜中の都市』（以上いずれも市田泉訳、創元海外ＳＦ叢書）でローカス賞ＳＦ長編部門を受賞。

アンダーズは幻想世界を精緻に構築しつつも、焦点を当てるのは常に体制の内に生じる弱者の内面であり、彼ら彼女らの葛藤を丁寧に描き切る。モノの社会的意義や人々に与える影響に関心を寄せる姿勢は創作活動以外においても活かされ、パートナーのアナリー・ニューウィッツと運営し、「ＳＦの意義、現実の科学や社会との関わりを探求（筆者訳）」するポッドキャスト「Our Opinions Is Correct」はヒューゴー賞ファンキャスト部門を受賞している。透徹した視座による世界観は圧巻であり、もがき苦しみながらも何かを達成していく登場人物たちは、現実を生きる我々に多くの示唆を与えてくれる。

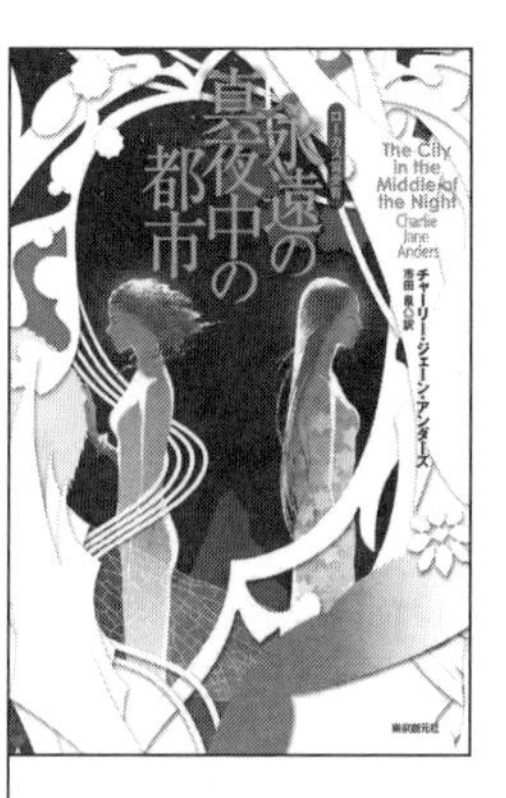

『永遠の真夜中の都市』東京創元社　市田泉訳

今改めて注目されるディストピア文学　マーガレット・アトウッド

橋本輝幸

1939年にカナダのオンタリオ州で生まれ、同国を代表する詩人・作家として知られる。文明批判の色濃い著作の一部はSF小説と見なされる。

代表作は『侍女の物語』（斎藤英治訳、ハヤカワepi文庫）。未来のアメリカにあるギレアデ共和国は宗教原理に支配され、国民の自由が著しく制限されている。出生率が低いため、子供を産める希少な女性は「侍女」として、妻とは別に地位の高い男に所有される。英国アーサー・C・クラーク賞受賞作。出版当時（1985）から話題の本だったが、ドナルド・トランプの米国大統領選勝利後にディストピア小説が世間の話題をさらい、改めて注目された。2019年に続編『誓願』（鴻巣友季子訳、早川書房）を出版し、本書で二度目のブッカー賞を受賞する。

2003年から2013年にかけて出版された〈マッドアダム〉三部作は、巨大企業の台頭、ウィルス禍による世界の破滅を描いたアポカリプス小説。『オリクスとクレイク』（畔柳和代訳、早川書房）、『洪水の年』（佐藤アヤ子訳、岩波書店）に続く第三部は未訳である。『洪水の年』はときにユーモラスで人間臭く、人間の傲慢や残酷の描写も冴えわたるスリリングな一冊だ。

『侍女の物語』（斎藤英治訳、ハヤカワ epi 文庫）

ジャンルの垣根を越えて「人間のあり方」を問う　カズオ・イシグロ

谷美里

長崎出身、英国籍の作家。長篇処女作『遠い山なみの光』（小野寺健訳、すべてハヤカワepi文庫）で王立文学協会賞、第二長篇『浮世の画家』（飛田茂雄訳）でウィットブレッド賞、第三長篇『日の名残り』（土屋政雄訳）で英最高峰のブッカー賞、2017年にノーベル文学賞を受賞。

イシグロの作品は、リアリズム、ミステリー、SF、歴史ファンタジーなど毎回作風が大きく異なる。しかし、そこには「人間のあり方」に対する関心が一貫して窺える。例えば、SFに分類される『わたしを離さないで』（土屋政雄訳、早川書房）では、臓器提供者やAIを中心に据えることで、「人間のあり方」をより深く効果的に描けるのではないかと思ったと、イシグロは語る。ここで言う「人間のあり方」とは、倫理観や価値観の転換が度々なされる歴史の流れの中に生きざるを得ない一個人としての「私」のあり方である。世界のあり方と、そこで与えられる立場に大きく規定されながら、しかし、その世界は決して外部に確たるものとしては存在せず、「私」の記憶や認知能力を介して常に再構築される。そのような不確かで曖昧な現実の認識から、世界の不条理さや不気味さが立ち上ってくるのだ。

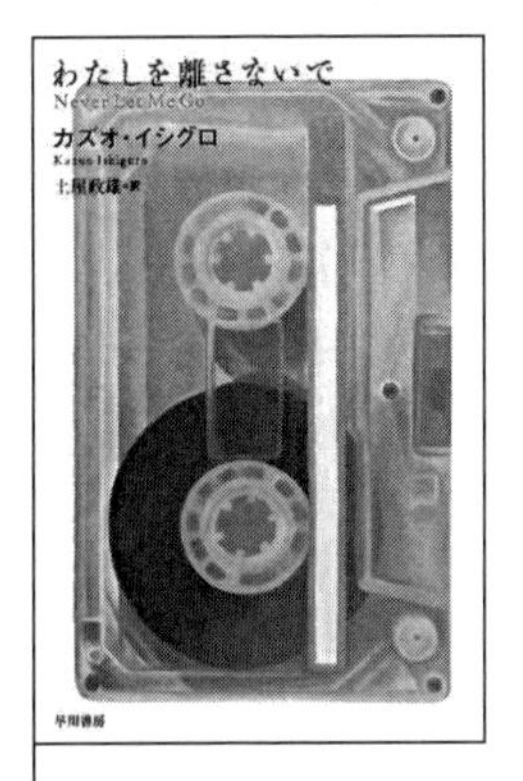

『わたしを離さないで』ハヤカワepi文庫、土屋政雄訳

近年の日本SF

小川哲

90年代はＳＦにとって「冬の時代」と呼ばれている。実際に何がどう冬だったかは別にして、早川書房が約30年続いたＳＦの公募新人賞をやめたこともあり、新人のデビューが難しくなっていたのは間違いないだろう。

そうやって始まったゼロ年代のＳＦを支えたのは、ライト文芸レーベル出身の作家――『博物館惑星』シリーズの菅浩江、『太陽の簒奪者』の野尻抱介、『マルドゥック・スクランブル』シリーズの沖方丁、『天明の標』シリーズの小川一水――たちだ。これまで主に若年層向けに作品を発表してきた作家たちが本格的なＳＦ作品を書くことで、新人作家の減っていた時代の読者を満足させていた。『My Humanity』の長谷敏司や『know』の野崎まどといった作家もこの流れに続き、意欲作を発表し続けている。

そうした中、「冬の時代」に終止符を打ったのが伊藤計畫だ。２００７年に早川書房から発売した『虐殺器官』と翌年の『ハーモニー』は異例のベストセラーとなり、ハヤカワＳＦコンテストが復活するきっかけにもなった（『虐殺器官』は小松左京賞の最終候補作を改稿したものだが、小松左京賞からは『華竜の宮』の上田早夕里もデビューしている）。復活したハヤカワＳＦコンテストからは、『ニルヤの島』の柴田勝家や『最後にして最初のアイドル』の草野原々といった作家もデビューしている。

近年、早川書房から本を出している作家としては、他にも『オービタル・クラウド』の藤井太洋や『なめらかな世界と、その敵』の伴名練、〈廃園の天使〉シリーズ（以上いずれもハヤカワ文庫JA）の飛浩隆などの名前も挙げておくべきだろう。セルフ・パブリッシングから出版に至った藤井太洋は、インターネットの媒体であるカクヨムWeb小説コンテストからデビューした『横浜駅SF』（KADOKAWA）の柞刈湯葉とともに、ゼロ年代以降の新人の新しいデビューの形を示している。また、自ら作品を書くだけでなく、過去作のアンソロジーも手がける伴名練は、SF作品を出版することの可能性を大きく広げた。

ハヤカワSFコンテストより一足先、2010年に開始した創元SF短編賞からは、『あがり』（以下創元SF文庫）の松崎有理、『盤上の夜』の宮内悠介、『うどん　キツネつきの』の高山羽根子、『皆勤の徒』の酉島伝法、『裏世界ピクニック』シリーズ（ハヤカワ文庫JA）の宮澤伊織、「吉田同名」の石川宗生といった作家がデビューしている。高山羽根子は『首里の馬』（新潮文庫）で第163回芥川賞を受賞しており、『道化師の蝶』（講談社文庫）で受賞した円城塔とともに「SF作家が純文学の世界で高く評価される」という前例を作った（逆に、純文学の世界でSF作品を残し続けている上田岳弘のような例もある）。

純文学だけでなく、SF出身作家が他ジャンルで活躍する例も近年増えてきており、冲方丁、宮内悠介、藤井太洋は吉川英治文学新人賞を受賞している。昨年の同賞を受賞したのは、日本ファンタジーノベル大賞を受賞した小田雅久仁の『残月記』（双葉社）で、SF作家が一般文芸の世界で評価されることも珍しくなくなってきた。集英社の一般文芸誌である「小説すばる」では定期的にSF特集が組まれており、SFマガジン以外でのSF作品の発表媒体が増えてきている。

また、「SFG」や「Sci-Fire」や「Rikka Zine」など、近年に多くのSF同人誌が発売されたことで、発表媒体はさらに増加している傾向にある。SF小説がもともと「宇宙塵」といった同人誌から出発していることを考えると当然の流れだと言えるのかもしれない（「宇宙塵」からは星新一、小松左京、筒井康隆、光瀬龍、梶尾真治、夢枕獏、山田正紀などの作家が作品を発表している）。

先述した伴名練は、『新しい世界を生きるための14のSF』（ハヤカワ文庫JA）というアンソロジーで、同人誌やWebで発表された新人作家の作品を紹介している。これ以外にも、SFのアンソロジーは数多く組まれており、大森望が編集している『NOVA 書き下ろし日本SFコレクション』シリーズや、東京創元社の『Genesis』シリーズ、竹書房の年刊日本SF傑作選である『ベストSF』シリーズなど、単著を出すほどの長さではない作品にも書籍化のチャンスが増えている。

「冬の時代」に限られていた新人賞も、早川書房や東京創元社が主催するものだけでなく、SF創作講座を主催するゲンロンの「ゲンロンSF新人賞」や、SF作品を精力的に紹介するW ｅｂメディア「ＶＧ＋（バゴプラ）」の「かぐやＳＦコンテスト」、日本経済新聞社が主催する「星新一賞」など、枚数やテーマに応じてさまざまな受け皿ができてきた（ちなみに、ゲンロンの元代表である東浩紀は、『クォンタム・ファミリーズ』で三島由紀夫賞を受賞している）。

以上の事実をもって、ＳＦに「春の時代」が来たと断言できるのかはわからないが、近年は数多くの新人が登場し、さまざまな媒体で活躍していることは間違いない。ぜひ、お気に入りの作家を見つけて、その活躍を見守ってほしい。

人の営みへの真摯な眼差しが切り拓いていく地平

柴田勝家

やらずの

南洋諸島を舞台とした文化人類学SF『ニルヤの島』（ハヤカワ文庫JA）にて第2回ハヤカワSFコンテストを受賞しデビュー。長編、短編を問わず活躍している。SFでは大学院での専門分野である民俗学的知見が反映された作品が中心となるが、同人活動にも精力的で「アイドルマスターシンデレラガールズ」の二次創作を書くなど、射程とするジャンルは実に多彩。2018年、2021年には星雲賞日本短編部門を受賞している。

柴田勝家の作品から伝わるのは徹底した真摯さだと思う。人間に、それが歴史とともに編んできた文明や文化に、最大級の敬意を払いながら言葉を重ね、物語を綴っていく。星雲賞受賞作である短編「アメリカン・ブッダ」（『アメリカン・ブッダ』ハヤカワ文庫JA収録）はその一つの集大成と言えるような傑作で、一度滅んだアメリカが人々の手によって長く深い暗闇から立ち上がっていく様が、主人公たちの思いがけない友情とともに丁寧に、極大の熱量で描き出されている。信仰や民俗的な風習など人が長い時間をかけて積み上げてきたものに、VRやメタヴァースなど最新の技術や概念が組み合わさったとき、そこには誰も見たことのない世界が立ち上がってくる。たしかに柴田勝家の生み出す物語世界は、誰も見たことがなく、それゆえに新しい。だが決して突飛なものというわけではない。自身が伊藤計劃の描く近未来SFに影響を受けていると語っている通り、柴田勝家のＳＦもまた民俗学や文化人類学が示す人類の営みを出発点としたその少し先を真摯に描く姿勢と愛情の結果として現れるものなのだろう。

また最新の短編集『走馬灯のセトリは考えておいて』（ハヤカワ文庫ＪＡ）では、表題作にて、ライフキャストによって生と死の境界が曖昧になった近未来を舞台に、自身のライフワークでもある〝推し活〟を通じて人の魂の所在を描くことを試みている。現代人にとって切実な心のよりどころであることも少なくない〝推し活〟という卑近な入口から展開されていく物語は、テクノロジーが発展した近未来における弔い、あるいは魂の一つのかたちを提示している。

『アメリカン・ブッダ』ハヤカワ文庫ＪＡ

物語ることの意味を問い続けた夭折の作家
伊藤計劃

やらずの

第7回小松左京賞の最終候補作となった『虐殺器官』（ハヤカワ文庫JA）によって2007年にデビュー。本作は第28回日本SF大賞にノミネートされている。全く同じ経緯でデビューした円城塔とともに注目されるが、2009年3月、3作目の長編『ハーモニー』（ハヤカワ文庫JA）刊行から間もなく、ユーイング肉腫の転移によってこの世を去る。同作はその年の12月、故人としては史上初となる第30回日本SF大賞に輝いた。また2010年には同作の英訳版がフィリップ・K・ディック賞を受賞している。

伊藤計劃が描き出す近未来はいつも私たちの社会から芽吹き、立ち上がってくる世界だ。『虐殺器官』で描かれる超管理社会は9・11のテロを受けたものであり、『ハーモニー』の生命至上主義社会は病魔に身体を犯され、医療に頼ることで生きていた自身の社会への眼差しそのものであると言える。現在の社会や科学の在りようを出発点とし、人間について丹念に描いた物語はどこまでもロジカルで、わたしたち読者を魅了する。また本人曰く「人や組織の名前を考えてるときが一番楽しい」（装飾と構造で乗り切る終末／『虐殺器官』巻末の円城塔氏との対談より）と語っているように、「侵入鞘（イントルード・ポッド）」や「空飛ぶ海苔（フライングシーウィード）」、「生府（ヴァイガメント）」など世界観を構築する造語の使用も巧みだ。

さらに作品の最大の特徴とも言えるのは、一人称で描かれる文体だろう。伊藤計劃の作品のほとんどは〝作品世界に内在するテキスト〟や〝作品世界内の人物へ向けた語り〟という形式をとって描かれている。これは「物語というものは、誰かに寄生することでしか存在しない」(『ハーモニー』巻末インタヴューより)という小説に対する態度によるものに他ならない。物語られることの意味、あるいはその責任の在り処を明示する作品は、わたしたち読者を容赦なく作品世界へと引き込み、その世界で生きたであろう人間の1人として、圧倒されるような読後感とともにこれまでに見たことのない景色を見せてくれる。

『虐殺器官』ハヤカワ文庫ＪＡ

未知の世界を象る言葉の〝魔述師〟
飛浩隆

茂木英世

大学在学中に「ポリフォニック・イリュージョン」で第1回三省堂SFストーリーコンテストに入選。SFマガジン1983年9月号の「異本：猿の手」（以上いずれも『ポリフォニック・イリュージョン：飛浩隆初期作品集』河出文庫収録）で本格デビュー。同誌1992年10月号に短編「デュオ」を発表し、その後10年にわたって沈黙。

2002年、初の長編『グラン・ヴァカンス　廃園の天使Ⅰ』（ハヤカワ文庫JA）で華々しい復活を遂げてからは、長いスパンをあけつつも、高い評価を受ける作品を発表し続ける。近年では2018年に第二長編『零號琴』（ハヤカワ文庫JA）を刊行。絢爛なアイデアが怒涛の如く押し寄せる活劇を描くと同時に、日本SFを解体再構成し、より加速させた本作は『ベストSF2018』国内篇1位に選ばれ、第50回星雲賞日本長編部門を受賞した。

また、「S-Fマガジン」2020年2月号より、「廃園の天使」シリーズ第3作『空の園丁』を連載中。寡作な作家ではあるが、作品ごとに試みられる跳躍は距離も方向も予想できない。

飛浩隆は、誰も見た事のない世界を映し出す。それは単に非現実的な世界を記述しているという事ではない。飛浩隆は自作の根源的なモチーフを「もの」「かたち」「ちから」の相克だと公言する。しかしその三要素全てを実空間で描写する事は叶わない。だからこそ、飛浩隆は小説という媒体の中で、想像と等速の詩情に溢れた言葉を紡ぎ、読者の内に広大で鮮烈な視覚イメージの世界を描き出す。

優れた批評家でもある飛浩隆はSF、小説、そして何より物語るという行為を問いの中心に置く。その答えの一つとして、映像表現の革新が謳われる現代で、異なる視覚表現の可能性を探り続ける飛浩隆の挑戦から目が離せない。

『グラン・ヴァカンス　廃園の天使Ｉ』ハヤカワ文庫ＪＡ

日本SFの新たな行き先を担う新時代の操舵手
伴名練

岸田大

1988年生。在学中より京都大学SF研究会に所属しており、2010年の大学在学中に第17回日本ホラーSF大賞にて「遠呪」で短編賞を受賞し、のち同作を改題、改稿し「Chocolate blood, biscuit hearts」とともに併録して『少女禁区』(角川ホラー文庫)として発表してデビュー。SF作家としての代表作に『なめらかな世界と、その敵』(ハヤカワ文庫JA)『百年文通』(一迅社)、またアンソロジストとしても注目を集めており編著として『日本SF臨界点』(ハヤカワ文庫JA)シリーズ、『新しい世界を生きるための14のSF』(ハヤカワ文庫JA)などがある。

伴名はSF作家のなかにおいても特段ジャンル意識の強い書き手であり、「2010年代、世界で最もSFを愛した作家」と言われるようにSFへのその偏愛は間違いのないものと言える。作家としてだけでなくアンソロジストとして日本SF臨界点シリーズを編み、日本SFの掘り起こしを怠らず絶えず新たな読者に日本のSFの豊かさを紹介し続けている。同時に伴名はアンソロジストとして批評的な視点も持ち合わせており、現在「S-Fマガジン」で「戦後初期日本SF・女性作家たちの足跡」を連載中であり、日本SFにおいて語られてこなかったSFの歴史に新たに注意を促したり、『新しい世界を生きるための14のSF』では新世代作家の未書籍化作品でアンソロジーを編むなど非常に戦略的なアンソロジストであることが伺える。自作においてもその問題意識は同様にみられ、その作品の中心的なモチーフには少女同士の関係を中心に据える「百合」という関係性を用いることもある。伴名は書き手としてもアンソロジストとしてもこのように強いＳＦに対する歴史的意識と批評性を持ち合わせており、その責任感と自意識はインタヴューやアンソロジーの解説文からも感じられる。日本ＳＦの豊かさを担保するものとして大森望や日下三蔵に代表されるような優れたアンソロジストの存在が上げられるが伴名もまたその系譜に連なる新たな一人というべきであろう。近年活況を呈する様々な新たな作家たちの登場と軌を一にして伴名もまた日本ＳＦの新たな舵取りを担っている。

『なめらかな世界と、その敵』ハヤカワ文庫ＪＡ

異世界で書かれた小説の翻訳書かもしれない
西島伝法

谷美里

デザイナー、イラストレーターでもある西島は、２０１１年、「皆勤の徒」で第２回創元ＳＦ短編賞を受賞し、作家デビュー。２０１３年に刊行された第１作品集『皆勤の徒』（創元ＳＦ文庫）は、『ＳＦが読みたい！２０１４年版』の国内篇第１位となり、さらに第34回日本ＳＦ大賞を受賞したほか、２０１５年には〈本の雑誌が選ぶ21世紀のＳＦベスト１００〉で第１位を獲得。２０１８年には英訳版も刊行され話題となった。２０１９年、第一長篇『宿借りの星』で第40回日本ＳＦ大賞を受賞。『ＳＦが読みたい！２０２０年版』では、海外作家を含めた「２０１０年代ＳＦベスト」企画で第１位に輝く。他の著書に、『オクトローグ 西島伝法作品集成』（早川書房）、『るん（笑）』（集英社）がある。

西島は、他に類をみない情熱と技術をもった翻訳者のようだ。何の翻訳かと言えば、「異世界で書かれた小説」の。地理空間から生態系、生物の様相、コミュニケーション手段や使用言語まで、すべてが異形の世界――そこで記述された小説を、西島は私たちにも理解できるよう翻訳してくれている。西島が造語を多用するのは、私たちがその見知らぬ世界をイメージしやすいように、との配慮からだ。本人曰く、「既存の名詞でその世界のあれこれを表現するとどうしても印象が咬み合わなくなるので、その対象のビジュアルや内容にふさわしい造語を、漢字の意味や形や音（ルビ表記）を使ってこしらえてい」るとのこと。例えば隷重類（れいちょうるい）、（『皆勤の徒』）、咒漠（じゅばく）（『宿借りの星』）。既存の言葉でくどくど説明されるより、格段にイメージがわきやすい。このような造語が効果的に使われることで、私たちの脳内には異形世界の様相が徐々にインストールされていく。読みながら見える世界の解像度が上がっていく体験には、快感すら覚える。

それだけではない。西島作品の背景には綿密なＳＦ設計があり、読むうちに本格ＳＦとしての存在感が増す。でありながら、例えば「皆勤の徒」がＳＦ版「蟹工船」と言われるように、その世界はあくまで私たちの日常感覚に通底しているのだ。まったくの異世界を新言語で描いた本格ＳＦであるにもかかわらず、西島の作品に親近感を抱ける所以はここにあるのだろう。

とはいえ、『皆勤の徒』や『宿借りの星』を開いて、あまりに独創的な字面に面喰らった場合は、現時点での最新作『るん（笑）』から読むことをお勧めする。人間が出てくるし、造語もそんなに多くない。しかし、あくまで西島作品であることは覚悟しておいた方がよい。まるで異世界を見るように、まっさらな目でこの人間社会を見つめた直して浮かび上がらせる世界——予想外の慄きに震えることになるだろう。

『皆勤の徒』創元ＳＦ文庫

歴史というキャンバスに、想像力の色を塗る
小川哲

岡野晋弥

小川哲は「本の雑誌」のインタヴューで、作家という職業を選んだ理由について、次のようなことを答えている。「人から命令されない職業につきたい」。そうして書き上げたのが、長編小説『ユートロニカのこちら側』（ハヤカワ文庫JA）だった。本作で第3回ハヤカワSFコンテストの大賞を受賞してデビューしたあとは、『ゲームの王国』（ハヤカワ文庫JA）で山本周五郎賞を、『地図と拳』（集英社）で山田風太郎賞、直木賞を受賞するなど、数々の文学賞にその名を連ねている。

小学生のころはそれほど読書好きではなかったそうで、先のインタヴューでは作文や読書感想文も嫌いだったと語っている。最終的に、クリスティの本を1冊読むと500円のおこづかいがもらえるという約束のおかげで本を読むようになり、やがてミステリやハードボイルド、SFに手を伸ばしたそうだ。

小川哲の作品は、現実と虚構の二つが絶妙なバランスで重なり合っている。『ゲームの王国』は、ポル・ポト政権時代のカンボジアが舞台だ。クメール・ルージュがプノンペンを占拠した日、運命的な出会いを果たした二人の少年少女を軸に、時代に翻弄された人々を描いている。特徴的なのは、二人の周囲の人物がマジッククリアリズム的な展開とともに描かれていくと

ころだ。それが重い歴史のなかで一種の清涼剤として働いており、読者が物語に入り込みやすくなっている。『地図と拳』は1899年から1955年までの、約半世紀にわたる満州の歴史を描いた作品だ。「李家鎮」という架空の都市を舞台とし、そこに集まる人々を描いていくことで、現実の歴史のなかに想像の物語をはめこんだ。

もちろん、小川哲が描くのは歴史だけではない。デビュー作『ユートロニカのこちら側』は、個人情報を提供するかわりに不自由のない生活が保障される都市の物語。SNSやYouTubeでの配信があたり前になっている今では、よりリアルに感じられるかもしれない。タイムマシンで過去に行くというマジックのトリックを暴く「魔術師」(『嘘と正典』ハヤカワ文庫JA収録)や、問題が読まれる前にクイズの答えを当てられたのはなぜか、という謎を解く『君のクイズ』(朝日新聞出版)など、身近だが奥深いテーマも小説の題材にしている。どんなテーマでも書きこなすのは、綿密な取材と想像力のたまものだろう。今後、さらに多くの驚きを届けてくれるに違いない。

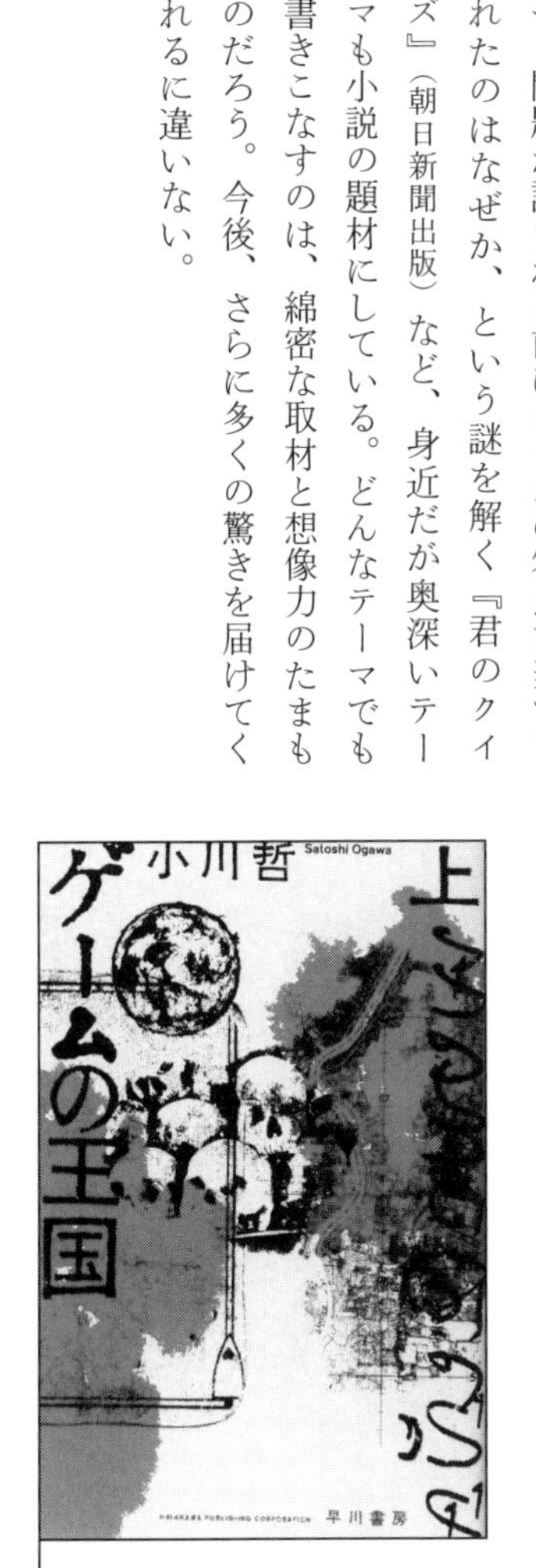

『ゲームの王国』ハヤカワ文庫ＪＡ

社会が抱える課題と向き合い、信念を持って未来を示す
藤井太洋

岡野晋弥

一般的には、新人賞を受賞することがプロ作家としての第一歩だと考えられている。ＳＦであれば、ハヤカワＳＦコンテストや創元ＳＦ短編賞を受賞してデビューする作家が多い。しかし、藤井太洋のデビューの経緯は少し変わっている。デビュー作となる『Gene Mapper -full build-』（ハヤカワ文庫ＪＡ）は、もともとＡｍａｚｏｎ　Ｋｉｎｄｌｅのダイレクト・パブリッシングを使って発表されたものだったのだ。執筆はもちろん、デザインや広告まで自身で行った本作は、Ｋｉｎｄｌｅストアの「ベスト・オブ・２０１２」小説・文芸部門で1位を獲得。本作を改稿したものが商業出版での1冊目となる。当時はエンジニアとして働きながら作家業をしており、通勤電車内で執筆をしていたという。その後会社を退職し、専業作家となった。

藤井太洋の作品は、技術と人間のあり方を問いかけてくる。『ハロー・ワールド』（講談社文庫）は、ドローンや自動運転車、ＳＮＳなどの現代の技術をテーマとした連作短編集だ。そこに描かれるのは現代技術の賛美ではなく、それをどのように使うべきなのかという問いかけだった。『オービタル・クラウド』（ハヤカワ文庫ＪＡ）は、不審な動きをするスペースデブリを発見したところから物語が始まり、やがて全世界を巻き込むスペーステロへと広がっていく。後半に明かされるテロの動機は、宇宙開発にまつわる大きな格差を知らしめた。

最近では現代社会のひずみを描き、人の倫理を問う物語を発表している。『東京の子』（角川文庫）では東京オリンピックの跡地にできた新しい大学を舞台に、そこで行われているという人身売買の真実を探る物語。働き方の見直しが進む現代において、それを考える契機になる。『第二開国』（KADOKAWA）では、リゾート開発によって好景気にわく奄美大島を舞台に、その裏で進行している大きな計画を描いた。ネタバレになるため言及を避けるが、長年にわたり国際社会の問題となっているテーマを中心に、日本の未来の風景を想像している。

現実では、一人のヒーローがあらゆる問題を解決してくれることはありえない。藤井太洋の小説では、普通の人々が自分のできることを組み合わせ、大きな目的を達成していく。未来を他人任せにするのではなく、すべての人間が考え、行動し、掴み取るべきだと示しているようだ。世界の未来を描くスペキュレイティヴ・フィクション（SF）の書き手として注目してほしい。

『Gene Mapper -full build-』ハヤカワ文庫ＪＡ

小説に親しみ文字に遊ぶ今を生きる文人
円城塔

群嶋漁

円城塔は日本の作家。『Self-Reference ENGINE』（ハヤカワ文庫JA）『オブ・ザ・ベースボール』（文春文庫）で作家デビューを果たす。前者は２０１３年にフィリップ・K・ディック賞特別賞を受賞し、後者は２００７年の第１０４回文學界新人賞を受賞する。また『道化師の蝶』（講談社文庫）は２０１２年に第１４６回芥川賞を受賞。近年では２０１９年に『文字渦』（新潮文庫）が第39回日本ＳＦ大賞を受賞する。アニメの脚本にも取り組んでおり、『スペースダンディ』（シーズン１・11話、シーズン２・24話）や『ゴジラＳ.Ｐ』など活躍の場を広げている。

円城の多くの作品では私たちの生活する世界を前提としていない。あくまで私たちが読む文字の中で登場人物たちは生活している。今の世界では、タケコプターは欠陥品で、タイムマシンで何十年もの過去には向かえない。しかし、紙面でならば、フロイトは畳の下から何人も現れ、靴下は語り部を処断しに現れる。そう言う意味で、円城の作品はいつだってファースト・コンタクトＳＦのような驚きに満ちている。文字であるが故に、何が飛び出すか一行先ですら予想がつかない。条件だけ設定されたオートのサンドボックスゲームを神の視点で眺めているような錯覚を覚える。

円城は自作をほら話だという。笑えるものを書こうとしているとも語る。

難解だ、と言われがちな文章は理知的である一方、作家本人の稚気ある遊び心を感じさせ、不条理に振り回される登場人物たちの必死さとコミカルな行動を一層際立たせている。

紙面でのみありうる状況を語る一方で、作品内では度々過去の書籍が引用され、さながら作中の状況は歴史の1ページであるかのように装われる。

出典を明記することで円城の作品は時空を超越し、まるで何度も塗り重ねられた油絵のように、試行錯誤して積まれたレイヤーを私たちに幻視させる。かと思えば漢字でインベーダーゲームをくり広げる様は現代アート的だ。

小説を遊び場とする一方で、可能性を真剣に考察し続ける。円城の作品は真面目なオモシロサに満ち満ちている。

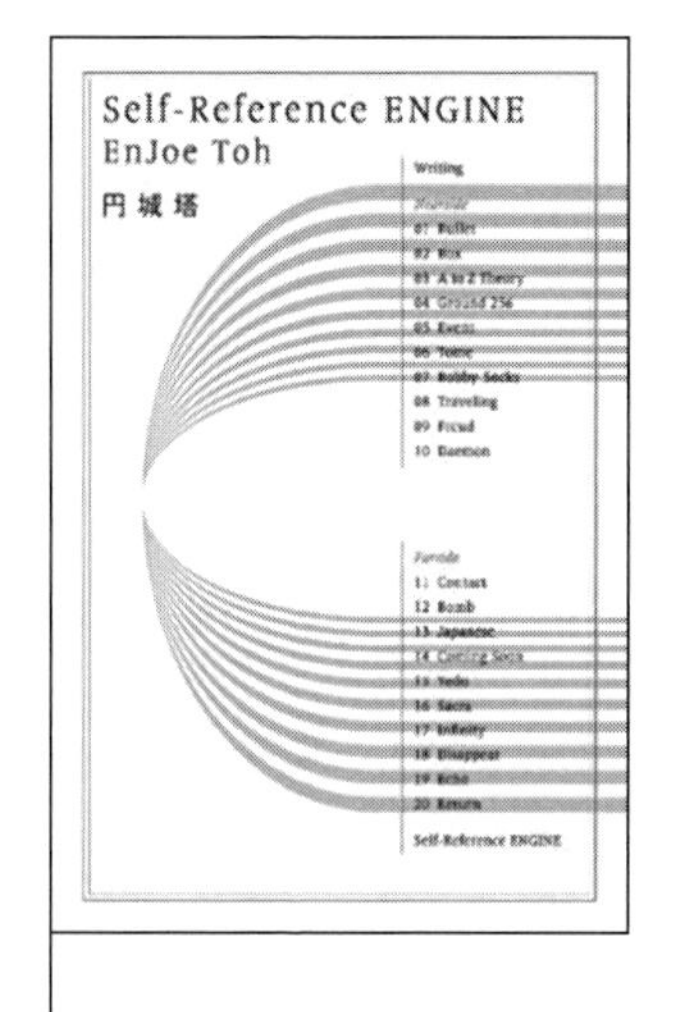

『Self-Reference ENGINE』ハヤカワ文庫ＪＡ

現実と非現実を縫合した世界の、記録文学

高山羽根子

谷美里

２００９年、「うどん キツネつきの」で第１回創元ＳＦ短編賞佳作となり、同作がアンソロジー『原色の想像力』（創元ＳＦ文庫）に収録されデビュー。２０１４年に刊行された第１作品集『うどん キツネつきの』（創元ＳＦ文庫）は、第36回日本ＳＦ大賞の最終候補となった。２０１６年、「太陽の側の島」（『オブジェクタム』朝日新聞出版収録）で第２回林芙美子文学賞大賞を受賞。２０１９年、『居た場所』（河出書房新社）および『カム・ギャザー・ラウンド・ピープル』（集英社）がともに芥川賞候補となり、２０２０年、『首里の馬』（新潮文庫）で第１６３回芥川賞を受賞。他の著書に、『オブジェクタム』（朝日新聞出版）、『如何様』（朝日新聞出版）、『暗闇にレンズ』（東京創元社）がある。

高山の作品を形容するのに、独特のＳＦ的・幻想的想像力が、ずば抜けた文章力によって具現する、と書くことは、もはや新鮮味がないかもしれないが、やはり正しい。高山は描きたい対象の輪郭線をズバッと引くということをせず、その周囲を綿密に描き込むことで、徐々に対象の輪郭が浮かび上がってくるような書き方をする。リアルな細部の描写に支えられて、一見突拍子もない出来事や空想の産物も、日常風景のなかに違和感なくするりと入り込んでしまう。「うどん キツネつきの」で三人姉妹が飼っている犬のような生き物も、「居た場所」に登場す

るタッタというイタチのような生き物も、また、「首里の馬」で庭に突然現れる宮古馬（ナークー）も（これは実在の動物だが）、小説のなかで実に生き生きと（あるいは生々しく）動きまわるのだ。

このように、現実と非現実を見事に縫合させた文章のなかで高山が描くのは、誰にも気づかれていないかもしれない、後世に残す必要性など微塵も感じられていない、ささやかな事物の断片である。「オブジェクタム」のカベ新聞や、「居た場所」で小翠がつくる手描きの地図、「カム・ギャザー・ラウンド・ピープル」でイズミの撮る映像、「首里の馬」で未名子が写真におさめる資料館の品々など、人々の意識や記憶の隙間に埋もれている事物の欠片が、祈りにも似た手つきで、小説のなかで大切に記録されていく。

小説は基本的に、幾つもの時間のレイヤーが積み重なるように構成されているものだが、『如何様』や『暗闇にレンズ』などの近著では、そのスケールが一段と大きくなり物事の多面性がより豊かに描かれるようになっている。高山の小説は、たとえ謎解きのように話が進んでも、一つの真実や結論に収斂することは決してない。その不確かさこそが、この世界のささやかな生を肯定する力を小説に与えているのだ。

『暗闇にレンズ』東京創元社

ボーダーレスに構築される無限の作品世界
宮内悠介

やらずの

2010年、囲碁を題材とした「盤上の夜」にて第1回創元SF短編賞にて選考委員特別賞を受賞。受賞作を含む同名の連作短編集（創元SF文庫）にて単行本デビュー。これは直木賞にノミネートされ、第33回日本SF大賞を受賞している。SFと純文学を横断して活躍している作家として評価が高く、芥川賞、直木賞、三島賞、山本賞の全てで候補作に挙がったことのある史上初の作家である。

宮内悠介ほどボーダーレスな作家はなかなかいないと思う。SF、ミステリ、純文学を自由自在に横断する。また題材についても音楽や精神医学など幅広い。しかしこのジャンルの越境はSFの書き手がジャンルの枠を飛び出していったというわけではなく、書くべきものを緻密に書いていった結果として自然に生まれたような印象を受けるのだから凄まじい。つまるところ宮内悠介はそもそも奥深い文学的な素養やセンスを備えていた作家にほかならず、カテゴライズしようというのがナンセンスだったのだろう。とはいえ天才画家がフリーハンドでするすると絵を描くように文章をしたためて、世界を作り、作品を生み出しているというわけではない。宮内悠介の作品はどれも、膨大な参考資料によって支えられている。また実際に現地での取材のため、国内外に出張することもあるとか。

こうした膨大な参考文献に裏打ちされたリアリティが支えている先が、文学的な美とも取れる発想の飛躍だ。たとえば直木賞候補作でもある『ヨハネスブルクの天使たち』（ハヤカワ文庫JA）では54階建て・高さ173mの〝世界一高いスラム〟ポンテタワーをモデルとしたマディバ・タワーからDX9（筐体を得たボーカロイド、あるいは少女型ホビーロボット）が耐久試験と称して落下し続けている。これは作中で〈夕立〉と表現される非常に印象的なシーンだが、冷静になってみるとホビーロボットの耐久試験としてはいくらなんでも過剰で、強引にも思える。しかしその無理を美しくも不気味で、切なくも儚くもある場面として描き切り、作品の象徴的な場面にまで押し上げてしまうのが宮内悠介の巧さなのだと思う。積み上げられてきた歴史や知性の上に、極限まで研ぎ澄まされた文章芸術としての小説を打ち立てる。言葉にすればあっさりしてしまうが、宮内悠介の作品がやってのけるのはとてつもない業なのだ。

『ヨハネスブルクの天使たち』ハヤカワ文庫ＪＡ

作品には、つねに楽しさと遊び心を忘れずに　山本弘

岡野晋弥

奇想天外SF新人賞で佳作に選ばれデビュー。SF作家として作品を発表するかたわら、トンデモ本を品評する「と学会」の会長（2014年で退任し脱会）として「トンデモ本の世界」シリーズに長く関わっていたことでも知られている。

山本弘の作品はハードSFに寄ったものが多いのだが、不思議と難しさを感じさせない。科学的な正しさと、娯楽としての面白さのさじ加減が絶妙だ。『プロジェクトぴあの』（ハヤカワ文庫JA）は、宇宙を夢見るアイドル・結城ぴあのが宇宙へ飛び立つまでを描いた物語。物理学や工学知識をふんだんに盛り込みつつ、ぴあのが夢の実現への道を切り開いていく展開で楽しく読ませてくれる。『アイの物語』（角川文庫）では、作中の技術とそれを使う人間をつぶさに描き、人間と機械の関係性を表現した。『神は沈黙せず』（角川文庫）は、神は実在するかという問いをオカルトの事例から考察していく超理論派小説で、思わぬ結末が待っている。

心はいつも15才、これが山本弘のモットーだ。子どものような遊び心を忘れずに、純粋な面白さを追求する。モットーにはそんな思いが込められているのだろうか。

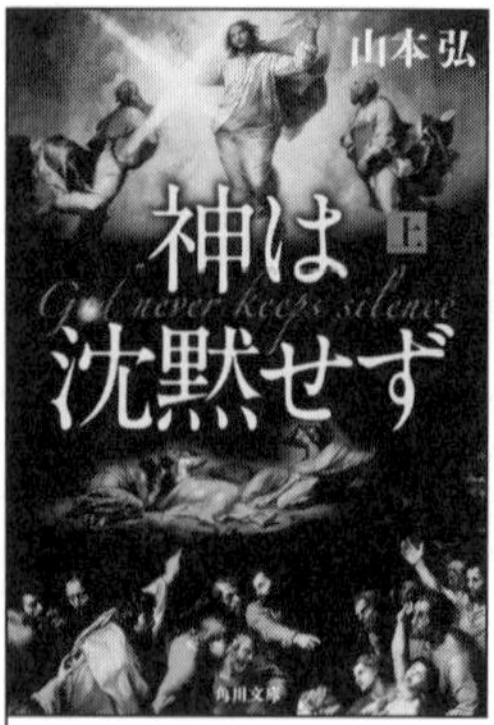

『神は沈黙せず』角川文庫

想像力で新たな生命を生み出す、宇宙生物SFの新星　春暮康一

岡野晋弥

近年デビューしたSF作家のなかで、ハードSFの書き手と言えば真っ先に挙がるのが春暮康一だろう。ペンネームはアメリカのSF作家、ハル・クレメントから取ったものであり、作品を読めばそれにも納得がいく。ハル・クレメントと同じく、地球に暮らす生物とはまるで異なる生命体を描いているからだ。惑星の環境から生態系を丁寧に考察しており、宇宙にはこのような生命体が本当にいるのではないかと思わせてくれる。

デビュー作は第7回ハヤカワSFコンテストで優秀賞を受賞した『オーラリメイカー』（早川書房）。惑星軌道を変更するほどの高い技術力を持ちながらその姿を見せない、オーラリメイカーと呼ばれる生命体を追いかける物語だ。2022年に刊行された『法治の獣』（ハヤカワ文庫JA）は、知性をめぐる3作が収録された短編集。表題作には、罪と罰を理解し、独自の法体系を持つように見える生物が登場する。そして、その法体系を人間社会に当てはめる社会実験が行われていたというストーリー。これらはいずれもファースト・コンタクトの物語であり、他者を理解する難しさと奥深さが示唆的に描かれている。

春暮に導かれ、次はどんな生物と出会うのだろうか。

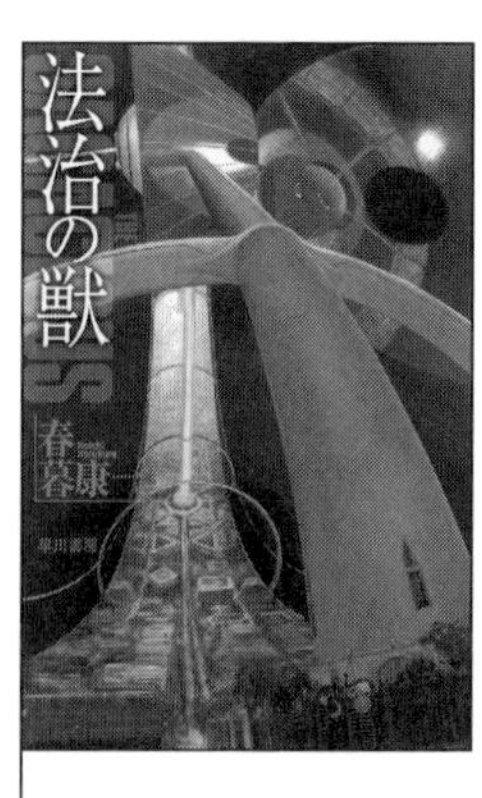

『法治の獣』ハヤカワ文庫ＪＡ

概念を創造し、異なる世界を想像せよ　三島浩司

池澤春菜

広島県出身のSF作家。電子工学学科を卒業し、電気関連会社に勤める。退社後、執筆に取り組み、『ルナOrphan's Trouble』（徳間書店）で2002年第4回日本SF新人賞を受賞、『ダイナミックフィギュア』（ハヤカワ文庫JA）は第32回日本SF大賞候補となった。

突如襲来した飛来体、通称カラスが軌道上に作り出したリング。それが頭上を通り過ぎる間、人は究極的忌避感と呼ばれる状態に陥る。カラスに対抗する第二の飛来体クラマにより、地上に落下したリングの欠片。そこから出てきた異星生物キッカイ掃討のため、二足歩行型特別攻撃機ダイナミックフィギュアが開発された。

三島は「文明や文化を唯一進歩させることができるものこそがあらたな概念だと思うからです。誤解と非難を恐れずにいえば、あらたな概念がふくまれていない作品は文化を前進させたとはいえません」と語る。あらたな概念と驚きに満ちた作品にぜひ触れてほしい。

『ダイナミックフィギュア　上』ハヤカワ文庫ＪＡ

未来を生き抜く空想力を育てる、強靭な物語　上田早夕里

中野伶理

兵庫県神戸市出身の小説家、ＳＦ作家。『火星ダーク・バラード』（ハルキ文庫）で第４回小松左京賞を受賞し小説家デビュー。２０１０年の長編『華竜の宮』（ハヤカワ文庫ＪＡ）は第32回日本ＳＦ大賞と第10回センス・オブ・ジェンダー賞大賞を受賞し、早川書房が刊行する、ＳＦ小説のガイドブック『ＳＦが読みたい！２０１１年版』で国内編第１位を獲得した。また、２０１６年の短編集『夢みる葦笛』（光文社文庫）は『ＳＦが読みたい！２０１７年版』で再度国内編第１位になっている。

ＳＦの他、ファンタジー、サスペンス、ホラーといったさまざまなジャンルの作品を手掛けている。舞台は日常に近い場所から、海洋や宇宙まで幅広く、複雑化した世界におけるダイナミックな展開と繊細な人間ドラマは読者を魅了する。

ＳＦ作品のテーマは非常に彩り豊かだが、根底を貫く部分には、人間と（生命体とは言えない存在も含む）人間以外との共生や、人が人であることの根拠への問いがあり、物語に強さと深さを与えている。上田作品を読むことは、急速に変化する現実と、予測不可能な未来を生き抜く空想力を育てることに繋がるといえよう。

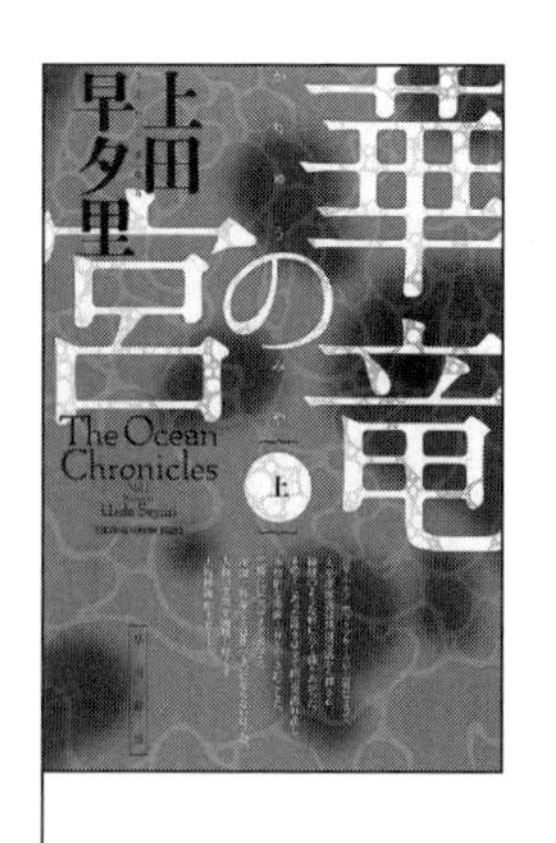

『華竜の宮』ハヤカワ文庫ＪＡ

ユニークな発想と深い洞察が切り取る世界のかたち　作刈湯葉

やらずの

小説投稿サイト「カクヨム」が主催する第1回カクヨムWeb小説コンテストSF部門にて、イスカリオテの湯葉名義で連載していた『横浜駅SF』が大賞を受賞。2016年にKADOKAWAより書籍化された同作によってデビューを飾った。その後も、型にはまらない発想とニヒルで冷淡な語り口はさらに洗練され、新作刊行のたび話題となっている。

作刈湯葉の作品はユニークな発想とブラックユーモア満載の展開に溢れている。東洋のサクラダファミリアと称される横浜駅が自己増殖を始めて日本列島を覆いつくしたり、動物を殺して食べることを忌避した社会で牛が球（無生物）になったり……。従来の価値観や倫理観から解き放たれた、自由な着想が実に巧みだ。しかし着想は奇抜でも、淡白さを感じる語り口で展開される物語には鋭い洞察が散りばめられている。普段ならば考えないようにしていたり、自分はそんなことを考えていないと思っていたいようなところを絶妙にくすぐられるような、快と不快に分類できない奇妙で新鮮な体験がいつの間にかクセになるだろう。

『まず牛を球とします』河出書房新社

〈都市〉に生きる人々の鮮やかな息づかい　津久井五月

大庭繭

1992年生まれ。2017年「天使と重力」（電子書籍『日経「星新一賞」第四回受賞作品集』日本経済新聞社収録）で第4回日経「星新一賞」学生部門準グランプリ。公益財団法人クマ財団の支援クリエイター第1期生。『コルヌトピア』（ハヤカワ文庫JA）で第5回ハヤカワSFコンテスト大賞を受賞しデビュー。2021年「フォーブスが選ぶ30歳未満の30人」（日本版）選出。変格ミステリ作家クラブ会員。日本SF作家クラブ会員。

津久井の物語には、リアルでユニークな〈都市〉が描かれる。生きた植物を計算資源として用いる植生型コンピュータ「フロラ」に覆われた2084年の東京、デジタルペットの生息するミラーワールド、原因不明の災禍により半ば廃棄された仮想空間など、物語の舞台となるのは、緻密で魅力的な〈都市〉たち。〈都市〉が緻密に描かれることで、そこに息づく人々の生活や感情が鮮やかに浮かび上がってくる。環境や社会とともに変化する〈都市〉のあり方や、人々の営みの機微に対する深い洞察が窺える。

『コルヌトピア』（ハヤカワ文庫ＪＡ）

国や時代を越えて愛される架空の歴史群像　田中芳樹

中野伶理

熊本県本渡市出身の作家。学習院大学文学部国文学科に在学中、1977年に李家豊（りのいえゆたか）名義で応募した「緑の草原に……」が雑誌『幻影城』の第3回幻影城新人賞（小説部門）を受賞、作家としてデビュー。1982年から発表した、銀河帝国と自由惑星同盟の抗争を描くスペースオペラ『銀河英雄伝説』（創元ＳＦ文庫）シリーズが人気を博し、1988年に日本のＳＦ賞である星雲賞日本長編部門を受賞。その他の代表作に『創竜伝』（講談社文庫）、『七都市物語』（ハヤカワ文庫ＪＡ）、『アルスラーン戦記』（光文社文庫）などがあり、執筆ジャンルは非常に幅広い。

未来の宇宙や異世界など、架空の歴史における群像劇を得意とし、壮大な舞台設定と劇的でカタルシスのある物語は、海外でも人気が高い。田中作品はとりわけキャラクターが魅力的で、個性とリアリティを備えた登場人物が織りなす人間ドラマは、時代を越えて読者を魅了する。多くの作品がメディアミックス展開され、アニメ、マンガ、ゲーム、舞台といった多様なジャンルから新たなファンを獲得し続けている。

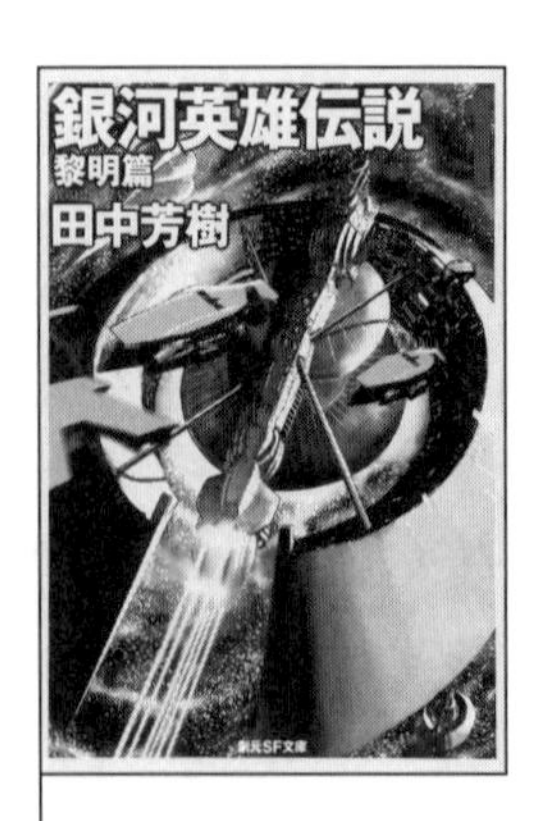

『銀河英雄伝説』（創元ＳＦ文庫）

綿密にして多彩。綴られた言葉までもが　菅浩江

榛見あきる

デビューは早く、高校在学中。同人誌で発表した短編「ブルー・フライト」（『雨の檻』ハヤカワ文庫JA収録）がSF誌「SF宝石」に掲載される。受賞歴は、星雲賞を短編長編合わせて計4回と、センス・オブ・ジェンダー賞、日本SF大賞受賞等。執筆以外にも活動は広く、日本舞踊の名取であり、電子オルガンの講師資格を持ち、ゲーム音楽の作曲を手がけ、動画配信サイトでの小説講座を開催している。

代表作は〈博物館惑星〉シリーズ（ハヤカワ文庫JA）。シリーズ一作目と二作目は星雲賞、三作目は日本SF大賞を受賞している。地球の衛星軌道上を周回する巨大な〝博物館惑星〟を舞台に、星中の美術品の収蔵のため学芸員たちが日々奔走する短編連作だ。各話ごとに登場する美術品への造詣の深さは、菅の多才さが遺憾無く発揮されているだけでなく、掛け合わされたSF的想像力によって綿密に物語へ織り込まれている。

菅が作品世界で描く「美」は多彩である。美術品だけでなく、人、行為、あるいは綴られたことばそのもの。自身の審美眼で捉えたあらゆる美しいものへ、惜しむことなく読者を導いてくれる。

『永遠の森―博物館惑星』ハヤカワ文庫ＪＡ

研ぎ澄まされた文体を持つ、変貌自在な幻想SF作家　津原泰水

中野伶理

広島県広島市出身の作家。1989年に少女小説家・津原やすみ名義の『星からきたボーイフレンド』（講談社X文庫ティーンズハート）にてデビュー。1997年以降は津原泰水として活動、2006年の自伝的青春小説『ブラバン』（新潮文庫）がベストセラーになり、『バレエ・メカニック』（ハヤカワ文庫JA）が第41回星雲賞日本長編部門候補、「五色の舟」「テルミン嬢」が第42回星雲賞日本短編部門候補になった。第18回文化庁メディア芸術祭マンガ部門大賞を受賞した近藤ようこの漫画『五色の舟』（ビームコミックス）の原作者でもある。

津原の手掛けるジャンルはSF、ホラー、ミステリなど多岐に渡り、幻想性が強いものが多い。作風や人称も作品によって大きく異なり、黒津原／白津原とも分類されている。いずれの作品も読者の感性や視野を広げ、幅広い知識や文化への興味を誘発する。キャラクターの魅力や構成の巧みさ、予想がつかない展開、独特の世界観などへの評価も高いが、特筆すべきは文体で、選び抜かれた言葉からなる流麗な文体は、他者の追随を許さない。

『バレエ・メカニック』ハヤカワ文庫JA

重厚にして緻密、日本の誇るハードSFの超人　谷甲州

池澤春菜

兵庫県伊丹市出身のSF作家。土木工学科卒業後、建設会社に勤める。青年海外協力隊としてネパールに、国際協力事業団のプロジェクトでフィリピンに赴く。ネパール滞在中に「137機動旅団」が第2回奇想天外SF新人賞佳作を受賞し、作家デビュー。『コロンビア・ゼロ：新・航空宇宙軍史』（ハヤカワ文庫JA）で第36回日本SF大賞を受賞。また小松左京の衣鉢を継いだ『日本沈没 第二部』（小学館）で第38回星雲賞長編部門受賞。

エンジニアや海外在住経験が裏打ちとなった重厚なハードSFや架空戦記、ワンダーフォーゲル部ならではの山岳冒険小説など、作品は多岐にわたる。

中でも、代表作と言える航空宇宙軍史シリーズは加筆、新解説、そして装丁を新たにした『航空宇宙軍史・完全版』（ハヤカワ文庫JA）が刊行され、また『新・航空宇宙軍史』（早川書房）が2017年から開始するなど、今なお歴史を作り続けている。

『航空宇宙軍史・完全版一 カリスト - 開戦前夜／タナトス戦闘団』
ハヤカワ文庫ＪＡ

怪奇幻想色濃い熟練のSF作家　小林泰三

たかp

京都府出身の怪奇幻想・SF作家。1995年『玩具修理者』（角川ホラー文庫）で第2回日本ホラー小説大賞短編賞を受賞しデビュー。『天国と地獄』（ハヤカワ文庫JA）『ウルトラマンF』（ハヤカワ文庫JA）で二度、星雲賞長編部門を受賞。SF要素を孕んだミステリ・ホラー小説で知られ、代表作は現実と幻想入り混じる世界で殺人事件の謎を暴く『アリス殺し』（創元推理文庫）。2020年没。2021年、日本SF大賞功績賞が贈られた。

泰三氏の文章には眩惑するような味がある。猟奇趣味やミステリトリックの鮮やかさで知られる泰三氏であるが、『天体の回転について』文庫版あとがき曰く、「自分では本質的にSF作家だと思っている」とのことである。これはミステリとして名高い『アリス殺し』にもその片鱗を見ることはでき、提示される設定の一貫性が作品全体で存在感を放っているのである。まさしく科学的な虚構という意味でのSFであり、揺らがない根本があってこそ作中で積み重ねられる謎の不可解さがいや増すのである。泰三氏の作品をSFというコンテクストの下再読することは、必ずや新たな発見をもたらすだろう。

『アリス殺し』創元推理文庫

伝説的な語りをもたらした日本SFの超新星　新井素子

岸田大

1960年生。「あたしの中の……」(『あたしの中の……』コバルト文庫収録)で第一回奇想天外SF新人賞佳作入選。当時高校二年という若さでの受賞は衝撃を与え、その後も現在に至るまで多数の作品を発表し続けている。代表作は『星へ行く船』(コバルト文庫)『グリーンレクイエム』(講談社文庫)『くますけと一緒に』(新潮文庫)『チグリスとユーフラテス』(集英社文庫)など多数。

新井の作品の特徴は一読すれば決して忘れられないその少女特有の語りを模した文体である。その文体は「新口語文」とも呼ばれ、1990年代ごろに本格化するライトノベルの草分けとなった。新井の作品のまるで漫画やアニメを読んでいるかのような感覚は当時のアニメブームと軌を一にしているようでもあり、同時代との影響関係を想起したくなる。だが注意すべきは日本文学においては太宰治などの作家において確実に口語の問題が反復して現れており、それは言文一致という線でその系譜を辿ることが可能だという点だ。新井の衝撃は今後エンターテインメントのみならず日本文学の問題として扱うことが可能なのかもしれない。

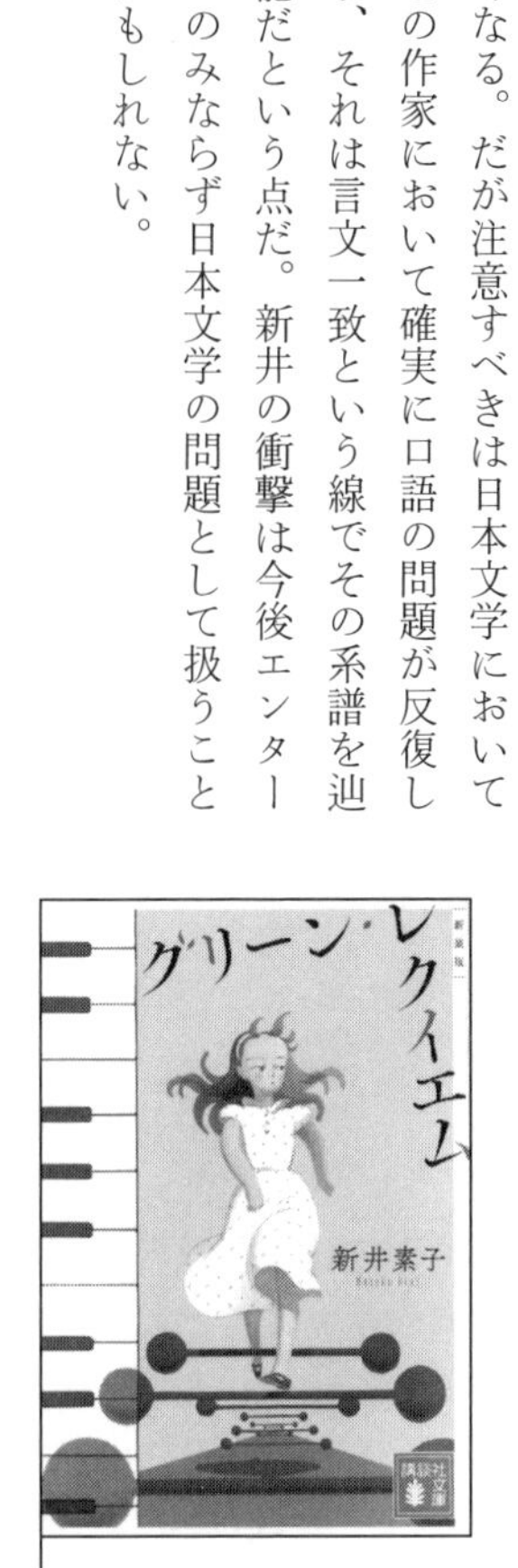

『グリーンレクイエム』講談社文庫

乾いた血文字で綴られていたのは、かつて流れたそれの赤さ　月村了衛

榛見あきる

脚本家出身で、「少女革命ウテナ」の脚本や、「円盤皇女ワるきゅーレ」のシリーズ構成・脚本を担当した。小説家としては〈機龍警察〉シリーズ（早川書房）を代表にクライムサスペンスを得意とする。受賞歴は、大藪春彦賞、山田風太郎賞、など多数。むろん日本ＳＦ大賞も〈機龍警察〉シリーズの二作目『機龍警察　自爆条項』（ハヤカワ文庫ＪＡ）で受賞している。

本シリーズは、有人の人型兵装が実用化されたごく近い未来が舞台だ。中でも制御に量子情報通信の技術が使われた未解明の特別な人型兵装「龍機兵（ドラグーン）」。それが配備された警視庁特捜部が、龍機兵（ドラグーン）の出自を巡る世界規模の陰謀へ迫っていく。

月村が端正な筆致で描く抗争は、実際の紛争や組織犯罪を下敷きにしており、多くの救いがあるわけではない。だが、作品世界に流れる血は、乾いてもなお消えることの無い言葉を読む者の心に残す。混迷の世にあっても不変であり続ける、その赤さを。

『機龍警察　自爆条項［完全版］上』ハヤカワ文庫ＪＡ

言語と銀河帝国の戦記　森岡浩之

遠野よあけ

「SF冬の時代」と呼ばれた90年代に、スペースオペラ〈星界の紋章〉（ハヤカワ文庫JA）シリーズで多大な人気を獲得した異例の作家。1991年「夢の樹が接げたなら」で第17回ハヤカワ・SFコンテストの入選となり、92年「S-Fマガジン」で同作が掲載されデビュー。2016年に異世界転移パニックSF『突変』（徳間文庫）で第36回日本SF大賞を受賞。

デビュー作『夢の樹が接げたなら』（ハヤカワ文庫JA）では人工言語による人間の進化の可能性を描き、太陽系外に進出した人類同士の星間戦争を描いた『星界の紋章』では、「ヤマトコトバだけで構成された特殊な日本語」をベースに発展した自然言語「アーヴ語」を話すアーヴ種族が登場する。森岡がつくる言語体系は非常に緻密で、アーヴ語には母音や子音の表記まで設定しており、アーヴ語の発音をルビで表す独特の文体は、アーヴという人類種族が持つ社会性、歴史、そして誇りを伝える優れた表現にもなっている。ゆえに「アーヴによる人類帝国（フリューバル・グレール・ゴル・バーリ）」という国家像のユニークさや、王女ラフィールをはじめとするキャラクターたちの魅力は、アーヴ語混じりの文体と密接につながっている。

『星界の紋章Ⅰ　帝国の王女』（ハヤカワ文庫JA）

変幻自在、予測不可能な大風呂敷の使い手　野﨑まど

岡野晋弥

２００９年、我々は野﨑まどという未知との遭遇を果たした。デビュー作の『[映]アムリタ』（メディアワークス文庫）は、芸大に通う二見遭一と、天才と呼ばれる最原最早が衝突しながらも映画を作る青春小説……ではない。コメディ、ミステリ、ホラー、ＳＦのいずれともつかない展開が広がり、終盤のどんでん返しの連続に圧倒される。デビュー作から『２』（メディアワークス文庫）までは、必ず刊行順に読んでいただきたい。その後、情報化社会が高度に進展した時代の京都を舞台とする『ｋｎｏｗ』（ハヤカワ文庫ＪＡ）で、ＳＦファンに広く認知された。「バビロン」シリーズ（講談社タイガ）では、死を題材にして善悪というテーマに切り込んだ。

野﨑まどの作品には、人間を超越した天才がしばしば登場する。そして、周囲の人間や社会が天才に翻弄され、変化していく様子が描かれていく。野﨑まどと読者の関係も同じようなものだろう。読者は野﨑まどの書く世界に翻弄され、そこに新たな地平を見る。

ちなみに、野﨑まど史上もっともヘンな小説といえば『野﨑まど劇場』（電撃文庫）をおいて他にない。読めば「小説って何だったっけ……？」と思うことうけあいだ。

『[映]アムリタ』メディアワークス文庫

革新と熟練、進化することを止めない作家の凄み　林譲治

池澤春菜

日本・北海道出身のSF作家・小説家。第19代日本SF作家クラブ会長を務めた。〈星系出雲の兵站〉(以下すべてハヤカワ文庫JA)シリーズで第41回日本SF大賞、第52回星雲賞日本長編部門を受賞。架空戦記物や、ハードSFを数多く手掛ける。

〈星系出雲の兵站〉シリーズは「英雄の誕生とは、兵站の失敗に過ぎない」を謳い、星間戦争を支える人々を描き出す群像劇。林作品の特徴である戦略や軍事が重厚に描かれると同時に、それぞれの登場人物をジェンダーや属性にとらわれない個人として描き出すフェアさは見事(余談ですが、会長を務めたからこそ組織小説が書けた、と仰っていました。もしかしたらどこかに池澤がモデルになった仕事のできない登場人物がいるかも)。

〈大日本帝国の銀河〉シリーズ、そして新シリーズ『工作艦明石の孤独』と精力的に作品を刊行している。日本SFを牽引する作家の一人。

『星系出雲の兵站Ⅰ』ハヤカワ文庫JA

類稀な言語センスで描き出されるサイバーパンクの世界　冲方丁

やらずの

早稲田大学在学中の1996年に『黒い季節』（角川文庫）にて第1回スニーカー大賞で金賞を受賞してデビュー。『マルドゥック・スクランブル』（ハヤカワ文庫JA）にて日本SF大賞を受賞し、SF作家としての評価を確立する。歴史小説やミステリまで幅広く執筆、また人気アニメのシリーズ構成や脚本を手掛けるなど活躍の場は文壇に留まらない。

冲方丁の作品は言葉のセンスに溢れている。上述の『マルドゥック・スクランブル』では黒丸尚による翻訳作品を念頭に置いて独特なルビや押韻を多用する文体を用い、サイバーパンクにおける唯一無二の世界観を構築した。また、その前日譚の『マルドゥック・ヴェロシティ』（ハヤカワ文庫JA）では／や——などの記号を多用することで改造人間である異能力者たちの臨場感あふれる戦いを描いている。とはいえ、特徴的な文体ながら、物語は実に映像的でスリリングな仕上がりにまとめ上げる手腕は素晴らしい。文章表現の限界に挑むような文学性と想像力を飛躍させるSF的なエンタメ性の絶妙なバランス感を誇る物語世界は、いつもわたしたちに上質な読書体験をもたらしてくれる。

『マルドゥック・スクランブル　The 1st Compression —圧縮』ハヤカワ文庫ＪＡ

あらゆる場所でヒトは生きる。その輝きを、褪せることなく　小川一水

榛見あきる

日本最古のＳＦ賞である星雲賞を計5回と、第40回日本ＳＦ大賞という受賞歴を持つ。星雲賞を受賞した5作中4作が惑星間の往来が可能となった未来を描く作品であることからもわかるように、宇宙ＳＦのトップランナーの一人。

代表作は『天冥の標』(ハヤカワ文庫ＪＡ)。２０２０年に、小川5度目の星雲賞と日本ＳＦ大賞を受賞した傑作であり、21世紀の現代から29世紀の恒星間文明まで、全10巻(計17冊)で書ききった大作だ。当時の「Ｓ－Ｆマガジン」編集長が小川に言った「できること全部やっちゃってください」という言葉から始まった本作は、２００９年にⅠ巻(上・下)が発売され２０１９年の2月に発売されたX巻(ＰＡＲＴ３)で完結する。そう、コロナ禍の直前に。

本作の中核をなすＳＦ的ギミックは作中で「冥王班」と呼ばれる感染症だ。ＳＦが持つ想像力に、現実が剝いた牙がかすめた。だが、それでも人類は生存した。

小川が、茫漠の宇宙を背景に描くのは、挫折し、蝕まれ、触れ合うことができなくなったとしても、生きることの希望を手放さないヒトの輝きだ。

『天冥の標Ⅰ—メニー・メニー・シープ〈上〉』ハヤカワ文庫ＪＡ

絶対なる他者と人とのマリアージュ　宮澤伊織

群嶋漁

宮澤伊織は日本の作家。２０１１年に『僕の魔剣がうるさい件について』（角川スニーカー文庫）でデビューする。２０１５年『神々の歩法』（東京創元社）は第６回創元ＳＦ短編賞を受賞する。２０１７年に刊行された『裏世界ピクニック』（ハヤカワ文庫ＪＡ）は２０１８年にはコミカライズ、２０２１年にはアニメ化を果たしている。冒険企画局にも所属しており、魚蹴名義で『インセイン』などＴＲＰＧのリプレイも手がけている。

「ＳＦとホラーは水と油のようなジャンル、両立の難しさは感じている」と本人はインタヴューにおいて語る。しかし、宮澤がＴＲＰＧリプレイを書いている経験がその困難を両立させている。『裏世界ピクニック』のコンセプトとなる三つの柱「ＳＦ」「ホラー」「冒険小説」はそのまま翻って多くのＴＲＰＧ作品に通底しているものだからだ。

宮澤の魅力はなんといっても人知を逸した超常存在の奇怪さとそれに巻き込まれる登場人物たちの心情の変遷を双方崩すことなく、鮮やかに描いているところにある。異形存在の恐怖と叶わないコミュニケーションが対比的に傍らに立つパートナーとの関係性を浮き彫りにする。

『裏世界ピクニック　ふたりの怪異探検ファイル』ハヤカワ文庫ＪＡ

巧みな文体と緻密なディティールで、奇想の世界を展開　石川宗生

中野伶理

千葉県に生まれる。アメリカ合衆国オハイオ・ウェスリアン大学天体物理学部卒業後、約3年間の世界放浪旅行やメキシコ・グアテマラでのスペイン語留学などを経てフリーの翻訳家に。2016年に「吉田同名」にて第7回創元SF短編賞を受賞してデビュー、日本のSF賞である第48回星雲賞（日本短編部門）の参考候補作になる。同作を納めた『半分世界』（創元SF文庫）で第39回日本SF大賞最終候補、2020年に『ホテル・アルカディア』（集英社）で第30回Bunkamuraドゥマゴ文学賞を受賞した。

石川作品は奇抜なアイディアと、不可思議なイメージに満ちており、作者が現代の日本人だということを忘れさせる作風である。石川は既にジャンルを越えて活躍しており、今後もカテゴライズ不可能な作家になっていくものと思われる。

作中では常に新しい試みがなされ、ストーリーは思いもよらない方向へ展開していく。空想の世界を支えるのは、巧みな文体と緻密なディティールだ。言及される地理や文学や美術作品は、読者の想像力を刺激し、日常では知り得ぬ奇想の感覚を授ける。

『ホテル・アルカディア』集英社

AIと人間、その関係を生々しくもまっすぐに描く　長谷敏司

岡野晋弥

近年、美麗なイラストを生成するAIや人間のような受け答えをするAIが相次いで公開された。AIに対する期待が高まる一方、AIの使い方について、かつてないほど大きな議論が巻き起こっている。そのようなAIと人間というテーマにかねてより取り組んでいたのが、長谷敏司だ。長谷敏司はAIを主題として、人間を問う物語に言葉を尽くす。

『あなたのための物語』（ハヤカワ文庫JA）は、小説を生み出す人工人格の創作性をテーマに据え、死へ向かう人間の姿を生々しく描写している。『プロトコル・オブ・ヒューマニティ』（早川書房）では、不慮の事故で足を失いAIを搭載した義足をつけることになった主人公が、ダンスを通して人とロボットの境界、すなわち人間性を探る。『BEATLESS』（角川文庫）では、アナログハックという概念が登場した。ロボットの行動が人の感情を変化させ、意識や行動を制御できるという考え方だ。作中では、アナログハックの影響を受けやすい「チョロい」少年を主人公として、人間のようにふるまうモノと人間の関係性を描いた。どんなに技術が発達しても、そこには必ず人間がいることを思い出させてくれる。

『BEATLESS』角川文庫

ホラーとSFにまたがるグロテスクで美しい世界　牧野修

香月鯉影

SF小説、ホラー小説作家。『スイート・リトル・ベイビー』（角川ホラー文庫）で日本ホラー小説大賞佳作、『傀儡后』（ハヤカワ文庫JA）で第23回日本SF大賞、『月世界小説』（ハヤカワ文庫JA）で第36回日本SF大賞特別賞を受賞するなど、ホラー、SF両ジャンルで優れた作品を多く残している。

黙示録的主題やオカルティズム的な空気感に満ちた奇怪な作品世界と、（しばしばドラッグによって引き起こされる）意識と世界の混淆、そして身体や感官といったものに対する偏執じみた描写が特徴的だ。それを構成するのは牧野独特の感覚に満ちた「言葉」であり、牧野は言葉によって現実というものの在り方に歪を生じさせる。いわゆる「電波系」やドラッグがよく用いられるのもその現れであろうし、それを突き詰めたところに顔を出すのは言語SF作家としての側面だ。そのようにして無謬性の揺らいだ現実に生じた歪からは見たこともないようなモノが次々と繰り出され、ホラーであれSFであれ、他にはない読書体験を我々に突きつける。その作品世界は奇抜で恐ろしく、グロテスクでエロティックで美しくすらある。

『月世界小説』（ハヤカワ文庫ＪＡ）

歴史も正しさもない泡のなかで　上遠野浩平

遠野よあけ

20世紀末にデビューした日本人作家のなかで、上遠野は後進の作家やジャンルに与えた影響の大きさにおいて一、二を争う作家だろう。第4回電撃ゲーム小説大賞を受賞し1998年に『ブギーポップは笑わない』（電撃文庫）でデビュー。同シリーズは瞬く間に人気作となり、当時のジュニア小説レーベルでは後発だった電撃文庫の躍進を支えた。「上遠野浩平からは大きな影響を受けている」と公言する作家はジャンルを限らず枚挙に暇がない。

SF作品としては『ぼくらは虚空に夜を視る』（星海社文庫）から始まるナイトウォッチ三部作の評価が高い。また上遠野の作品に頻出する「統和機構」の英語表記は、コードウェイナー・スミスの「Instrumentality of Mankind（人類補完機構）」と同一で、作品間に設定的つながりをもつ点でもスミスと重なっている。他方で、スミスが一つの大きな歴史を描くのに対し、上遠野はばらばらな世界の出来事の間にある隣接性を描いているのが特徴。社会で共有される「大きな物語」が失われたポストモダン的状況を平易な文体で語る作風は、『ブギーポップは笑わない』のパズル的な群像劇から常に一貫している。

『ぼくらは虚空に夜を視る』星海社文庫

私たちのなかに生き続けるSF界の巨人　小松左京

岸田大

1931年生。1962年「易仙逃里記」（『蟻の園』ハヤカワ文庫JA収録）でデビュー。作家としてのみならず1970年の大阪万博プロデューサーや映画製作などその活動は多岐にわたり、まさしく戦後最大のSF界の巨人として知られる。代表作は『復活の日』（ハルキ文庫）『果しなき流れの果に』（ハルキ文庫）『日本沈没』（小学館文庫）『さよならジュピター』（ハルキ文庫）『虚無回廊』（ハルキ文庫）など他多数。

戦後日本SFそのものといえるような作家を一人上げろと言われれば誰もがこの作家の名前を想起するであろうまさしく日本SF界最大の人物。小松はSFをエンターテインメントの一ジャンルとしてではなく、人類と未来を思想することのできる文学の本流と考え、その地位向上に貢献した。没後10年以上経った今も広く読み継がれ、その作品は度々映像化されるが、それは小松の作品が敗戦の経験を時に作品に色濃く落としながらも、この戦後日本そのものを真剣に見つめようとした問題意識が今もなお私たちの社会に通じているからである。私たちは戦後日本SFの出発点であり、その到達点である小松のその想像力のなかに生き続けている。

『復活の日』ハルキ文庫

唯一無二にしてショート・ショートの神様　星新一

岸田大

１９２６年生。１９５７年「セキストラ」（『ようこそ地球さん』新潮文庫収録）でデビュー。製薬会社星製薬の社長としても知られる。ショート・ショートと呼ばれる超短編作品を多数残しておりこの分野における第一人者としてゆるぎない評価を得ている。代表作は『きまぐれロボット』（角川文庫）『マイ国家　ショート・ショート』（新潮文庫）『ボッコちゃん』（新潮文庫）など他多数。

星は小中学生などからの人気が高い印象だが、洗練された簡素な文体でありながら、その技巧的で風刺的な味わいは大人の鑑賞にも耐えうるものであるのは言うまでもない。ショート・ショートと呼ばれる超短編を書いた星だが、現在ではショート・ショートはフラッシュ・フィクションと呼び名を変えて注目されている。星はいまだに若年層から根強い人気を獲得しており、読書離れが叫ばれる昨今において、その作品の普遍性はますます重要度を増していくだろう。星の作品の普遍性はその作品の短さだけでなく、どこまでも人間を透徹して見つめるその知性に裏打ちされている。

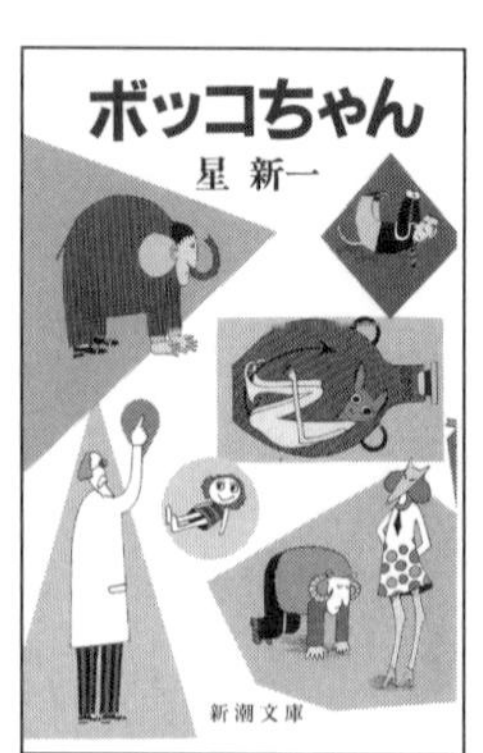

『ボッコちゃん』新潮文庫

日本SFの可能性を拡げた永遠の前衛旗手　筒井康隆

岸田大

1934年生。1960年「お助け」（『にぎやかな未来』角川文庫収録）でデビュー。1960年代より活躍した戦後日本SF作家第一世代でもあり、同じく第一世代の小松、星らとともに「SF御三家」の一人として数えられることもある。代表作は『48億の妄想』（文春文庫）『時をかける少女』（ハルキ文庫）『脱走と追跡のサンバ』（角川文庫）『虚構船団』（新潮文庫）『文学部唯野教授』（岩波現代文庫）『旅のラゴス』（新潮文庫）『ジャックポット』（新潮社）など他多数。

破天荒な作風と作家像で知られ、知名度はSF界の内外問わず高い。作品リストはその長年のキャリアとともに膨大なものとなるが、作風もエログロやナンセンス、メタフィクションまで多岐にわたる。その作品はセンセーションを巻き起こし一見すると破天荒なようにも思えるが、その裏では文学理論に裏打ちされ、文学的な読みも可能にする批評的な作品という面もある。筒井の存在が日本SFの文学性を豊かにして多様性を確保したことは間違いない。近年では『ビアンカ・オーバースタディ』（角川文庫）としてライトノベルを執筆し、重鎮となった今も現代性と向き合い続ける最重要作家の一人であり続けている。

『ビアンカ・オーバースタディ』角川文庫

日本ジュブナイルSFの開拓者　光瀬龍

永井光暁

戦前の東京府出身のSF作家。東京教育大学卒業後の1958年、SF作家・翻訳家の柴野拓美が主宰する日本初のSFファングループ「科学創作クラブ」に加入。同会の会誌「宇宙塵」誌上で作品の発表を始める。1962年、「S-Fマガジン」5月号に発表した「晴の海1979年」（『宇宙救助隊2180年——宇宙年代記全集〈1〉』ハルキ文庫収録）で本格的な作家デビューを果たす。大学卒業後は教師を勤めた後、1967年から作家業に専念。以降、宇宙SF作品群「宇宙年代記」、歴史改変SF、時代小説など幅広く作品を発表する。1967年に発表した代表作『百億の昼と千億の夜』（ハヤカワ文庫JA）は、後に萩尾望都の手により漫画化された。その後も執筆の傍ら後進の育成にも尽力するが、1999年、食道がんにより71歳で逝去。

日本最古のSF同人誌「宇宙塵」のメンバーである光瀬は、ジュブナイルSFの草分け的存在でもある。自然観察家でもあった光瀬の緻密な描写は、長年の経験で培われた観察眼に裏打ちされたものであり、少年少女たちに科学の面白さや楽しさを伝えていった。SFを日本の、ひいては子供たちの読み物へと昇華させた情感溢れる物語の数々は、今も色褪せない。

『百億の昼と千億の夜』ハヤカワ文庫ＪＡ

宇宙ものからショートショートまで幅広く手掛ける第一世代の代表格　眉村卓

日下三蔵

眉村卓は1934年、大阪生まれ。大阪大学卒業後、サラリーマンを経て61年にSF作家としてデビュー。日本SF第一世代を代表する作家の一人である。

組織と個人の関係をテーマにしたインサイダー文学論を提唱して「産業士官候補生」などの未来もの、宇宙ものを発表。これが発展した《司政官》シリーズは、さまざまな植民惑星を統治する司政官の苦闘を描いた傑作で、長篇『消滅の光輪』（早川書房）は泉鏡花文学賞を受賞している。未来もの・宇宙ものはハヤカワ文庫の『日本SF傑作選3　眉村卓』、《司政官》シリーズは創元SF文庫で読むことができる。一方、異世界もの、並行世界ものも得意とし、長篇『ぬばたまの…』（講談社文庫）、短篇集『かなたへの旅』（集英社文庫）など多くの作品がある。

また、少年向けSFでも人気を博し、『なぞの転校生』（講談社文庫）『ねらわれた学園』（講談社青い鳥文庫）など、何度もドラマ化・映画化された名作が多い。

千二百篇以上を発表したショートショートの名手で、現在は初期の作品をまとめた竹書房文庫の『静かな終末』『仕事ください』が入手可能。2019年没。翌年、遺作長篇『その果てを知らず』（講談社）が刊行された。

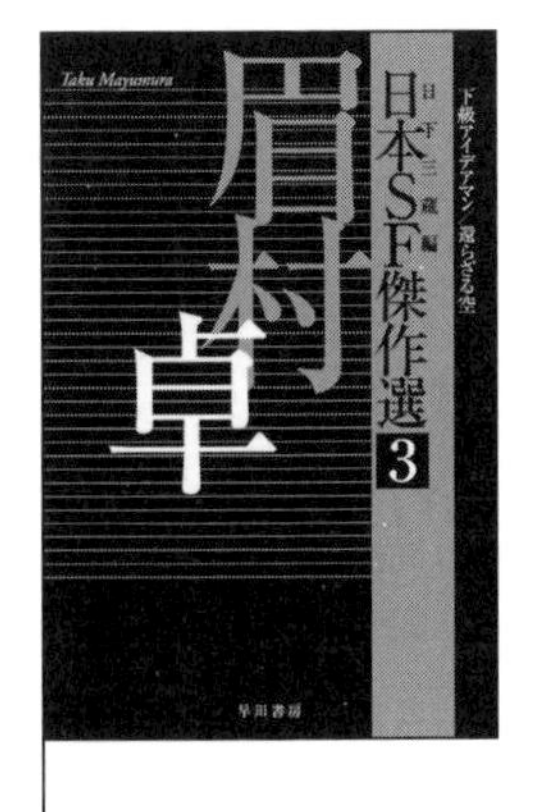

『日本SF傑作選3　眉村卓』ハヤカワ文庫JA

どこまでも続く、とてつもない物語　夢枕獏

渡邉清文

伝奇バイオレンス、陰陽師、格闘技、山岳小説などと活躍の場を拡げ、時には新たなジャンルを立ち上げながら書き続けている。多くの作品が分厚く、何巻も続く大長編だが心配無用、読み始めれば止まらない。仏教・東洋的世界観と、登場人物の魅力がそのエネルギー源だ。〈サイコダイバー〉シリーズ（祥伝社文庫）は、空海のミイラの真実に迫る『魔獣狩り』（全3巻）に始まる情念に溢れるエンターテイメント。漫画化や映画化もされた『陰陽師』（文春文庫）は、安倍晴明と相棒・源博雅のやりとりの面白さと、鬼や妖怪の物悲しさがいい。本格SFとしては、二重螺旋と宮沢賢治をモチーフにした『上弦の月を喰べる獅子』（ハヤカワ文庫JA）があり、第10日本SF大賞、第22回星雲賞を受賞した。未来の金沢を舞台にした『混沌の城』（徳間文庫）もお薦めだ。

これらを含め、あらゆる作品の要素を詰め込んだ「全部入り」の物語が、〈キマイラ〉シリーズ（ソノラマノベルス）。異形の獣・キマイラに化けてしまう高校生が主人公の現代物だが、キマイラの謎を追って時間的にも空間的にも果てしなく物語が拡がってゆく。

『幻獣少年キマイラ』角川文庫

正体不明の存在と戦い続ける言葉使い師　神林長平

渡邉清文

1979年に「狐と踊れ」（『狐と踊れ』ハヤカワ文庫JA収録）でデビュー。連作短編『言壺』で第16回日本SF大賞を受賞。『言葉使い師』をはじめ多数の作品で星雲賞の長編部門、短編部門を受賞している。

神林作品では多くの場合、世界を律する法則は不明で、現実と虚構の境界は曖昧だ。登場人物はそのような世界で、人間とは異質な存在と向き合う。その筆頭が、機械と言葉だ。

代表作「戦闘妖精・雪風」シリーズ（第4作まで刊行、第5作雑誌連載中）では、惑星フェアリィの空をパイロット・深井零と戦術偵察機・雪風が異星体ジャムを相手に戦う。人間と機械と正体不明の敵のあいだの緊張が、巻を追うごとに物語の姿を変貌させる。

また、創作支援AIが連日あらたなテキストを生み出す昨今だが、そこで生じる問題は、だいたい〈敵は海賊〉シリーズ長編第1作『敵は海賊・海賊版』（以上ハヤカワ文庫JA）と『言壺』で検討されている。

他に、近作『オーバーロードの街』（朝日文庫）、『先をゆくもの達』（早川書房）など。

『戦闘妖精・雪風〈改〉〔愛蔵版〕』早川書房

流れる時間のなかで描かれる複雑で普遍の愛たち　梶尾真治

やらずの

同人誌で発表した短編「美亜に贈る真珠」が早川書房の「S-Fマガジン」に掲載されたことで作家としてのプロデビューを果たす。1999年に発表した長編『黄泉がえり』（新潮文庫）は草彅剛を主演として映画化される。父から継いだ家業のガソリンスタンドチェーンにて社長兼作家として活動していたが、2004年に専業作家に転向を宣言。

ジャンルに囚われず、幅広く素晴らしい作品を残す梶尾真治だが、デビューのきっかけとなった短編を表題作とする短編集『美亜に贈る真珠（新版）』（ハヤカワ文庫JA）に見られるような恋愛SFは抜群にいい。読み手の心にすっと入ってくるような穏やかで繊細な語り口が絶妙。〈航時機〉というSFギミックも単に恋仲を引き裂くタイムマシンとしてだけではなく、愛の確からしさを描く装置として叙情的に機能している。また、「詩帆が去る夏」では愛するがこそ暴走してしまう1人の男の狂気と脆さを同様の筆致で描く。収録されるどの短編も素晴らしいが、愛が持つ負の側面を静かに、かつ刻銘に描き出す巧みさが光っている。

『美亜に贈る真珠（新版）』ハヤカワ文庫ＪＡ

SF性と娯楽性を兼ね備えた名手　山田正紀

日下三蔵

山田正紀は1950年、名古屋生まれ。明治大学卒業後の74年、三百枚の短い長篇『神狩り』（ハヤカワ文庫JA）が「S-Fマガジン」に一挙掲載されるという衝撃的なデビューを果たした。以後、『弥勒戦争』（ハルキ文庫）『チョウたちの時間』（徳間デュアル文庫）といったSF性の高さと娯楽性の高さを兼ね備えた作品を次々と発表し、82年に『最後の敵』（河出文庫）で第3回日本SF大賞を受賞。この時期の作品はどれも面白いが、やはり代表作『宝石泥棒』（ハルキ文庫）を強くお勧めしておきたい。『崑崙遊撃隊』（ハルキ文庫）『火神（アグニ）を盗め』（ハルキ文庫）『謀殺の弾丸特急』（徳間文庫）といった冒険小説もハイレベルな傑作ぞろいである。

時代伝奇小説、犯罪小説、架空戦記、トリッキーなサスペンスと、あらゆる種類のエンターテインメントを手がけるが、88年の『人喰いの時代』（ハルキ文庫）以降は本格ミステリにも力を入れ、2002年には『ミステリ・オペラ』（ハヤカワ文庫JA）で第二回本格ミステリ大賞と第55回日本推理作家協会賞を受賞している。

その他の本格SFに『神獣聖戦』（徳間文庫）『エイダ』（ハヤカワ文庫JA）『戦争獣戦争』（創元SF文庫）など。

『宝石泥棒』ハルキ文庫

傷と痛みに彩られた〈羽化〉の物語　空木春宵

大庭繭

１９８４年生まれ。２０１１年に「繭の見る夢」が第２回創元ＳＦ短編賞佳作を受賞。２０１２年に同作がアンソロジー『原色の想像力２』（創元ＳＦ文庫）に掲載されデビュー。２０２１年には初めての単著となる『感応グラン＝ギニョル』（東京創元社）が刊行された。その他、『Ｇｅｎｅｓｉｓ　創元ＳＦアンソロジー』（東京創元社）、『異形コレクション』（光文社文庫）、『２０８４年のＳＦ』（ハヤカワ文庫ＪＡ）などアンソロジーを中心に作品を発表している。

空木の物語は、耽美な筆致で傷や痛みを鮮やかに描き出す。特に焦点が当てられるのが、傷つかずには生きていけない人々。しかし、それらの人々はただ傷つき、痛みに耐えるばかりではない。みな、種々とりどりの傷や痛みをきっかけに世界に抗う術や自分らしさを獲得し、従来の価値観や社会のシステムを脱ぎ捨て、飛び立ってゆく。空木の物語において、痛みとは逃れがたい呪縛であるとともに、あらたな世界へ〈羽化〉するための手段でもあるのだ。

『感応グラン＝ギニョル』東京創元社

変幻自在、三面六臂、新城カズマという唯一のジャンル　新城カズマ

池澤春菜

日本のSF、ライトノベル作家。柳川房彦名義で関わっていたメールゲーム『蓬莱学園』のノベライズ『蓬莱学園の初恋！』（富士見ファンタジア文庫）でデビュー。『サマー／タイム／トラベラー』（ハヤカワ文庫JA）で、第37回星雲賞日本長編部門を受賞。

その作風はSFのみならず、ミステリやファンタジー、時代小説などさまざまなジャンルを軽々と超越していく。非常に多作で、優れた作品を多く書いているが「新城カズマとは○○な作家である」というのが難しいのは、この縦横無尽の越境性にある。

SFに関して新城は「SFは「可能性の文学」でありながらも（やはり近代西洋科学の影響も大なので）どこかで「根拠を求め（続け）る物語」なのだなあ」と述べている。世界観や設定を作り込むのみならず、詳細な架空言語を創造し、時に自分自身作品中に登場させ、緻密な世界を構築する新城ならではの切り口であろう。

『サマー／タイム／トラベラー１』ハヤカワ文庫ＪＡ

SFの新たな展開を体現するもっともオルタナティブな未来　樋口恭介

岸田大

1989年生。2018年第五回ハヤカワSFコンテスト『構造素子』で大賞を受賞しデビュー。執筆活動、SFプロトタイピングによるSFの社会実装をミッションとするスタートアップ企業「アノン株式会社」Chief Science Fiction Officerを務める。代表作に『構造素子』(ハヤカワ文庫JA)『眼を開けたまま夢を見る』(電子書籍)『生活の印象』(電子書籍)編著『異常論文』(ハヤカワ文庫JA)などがある。

作品執筆のみならず、その活動は一口にまとめきれるものではなく、その存在自体が現在の拡散し続けていくSFという概念を体現するような作家である。現代海外文学への造詣も深く、イアン・マキューアンやミシェル・ウエルベックなどへの共感もしばしば表明する。樋口はSF的な思弁を作中に盛り込みながら同時にそのナイーブな文体で非常にエモーショナルな内面をそこに重ねる。それはもはや新しい私小説的な展開すらみせており、SFと文芸が交差するその最新の位置に立っていることは間違いない。

『構造素子』ハヤカワ文庫ＪＡ

カタストロフ後の世界に、私たちの日常をみる　北野勇作

谷美里

1992年、『昔、火星のあった場所』（徳間デュアル文庫）で第4回日本ファンタジーノベル大賞優秀賞を受賞し、作家デビュー。2001年、『かめくん』（河出文庫）で第22回日本SF大賞を受賞。他の代表作に、『どーなつ』『北野勇作どうぶつ図鑑』（以上ハヤカワ文庫JA）『きつねのつき』『カメリ』（以上河出文庫）『100文字SF』（ハヤカワ文庫JA）などがある。

中でも『きつねのつき』は切ない感動を呼ぶポスト3・11小説として話題になったが、実はこの小説が書かれたのは2009年だという。半径5キロの〝爆心地〟を描いた『どーなつ』も、いま読めば3・11以後の小説に思える。これだけではない。北野はデビュー当初から、何かしらのカタストロフが起こってしまった後の世界で、それでも淡々と日常生活を営む者たちを描いてきた。でもだからこそ、いかに現実とかけ離れたSF設定であろうと、そこが私たちと地続きの場所であると感じ、懐かしささえ覚えてしまうのだ。

『100文字SF』は、そんな北野のエッセンスが詰まった一冊。昨今巷に溢れるショートショート本の中でも短さ・アイディア・オチすべての面で圧倒的かつ異色の面白さを見せつける本書は、オススメ度No.1だ。

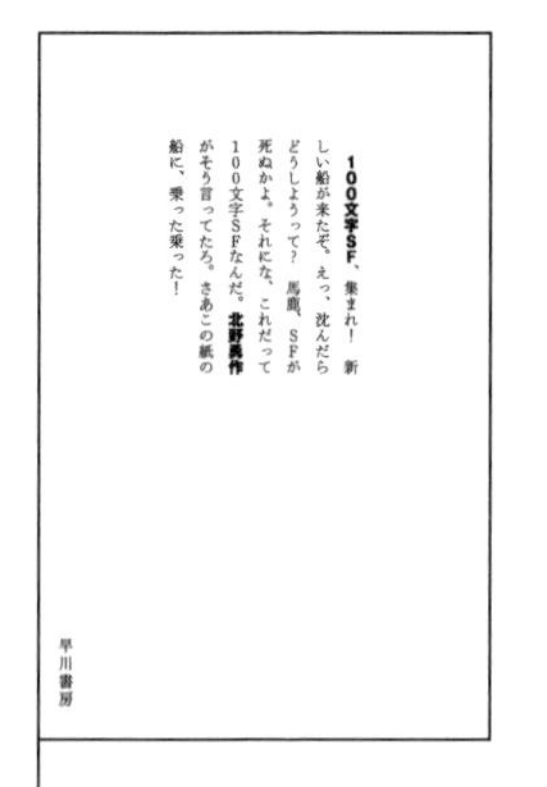

『100文字SF』ハヤカワ文庫JA

ハードSF×アイドルが開く新しい人類への道程　草野原々

岸田大

1990年生。第四回ハヤカワSFコンテスト『最後にして最初のアイドル』（ハヤカワ文庫JA）にて特別賞を受賞しデビュー。代表作に『最後にして最初のアイドル』『これは学園ラブコメです』（ガガガ文庫）など。

草野の作品の特徴としてあげられるのはなんといってもアイドルなどの少女を主人公に据えながら、同時にそこに非常にハードな科学知識を足場にしたハチャメチャな展開の暴走である。そのハチャメチャな暴走はときに作品世界すら破壊していくメタフィクションにすら向かっていく。草野が描くエネルギーに溢れた少女像はアニメやゲームなどからの影響を受けたポップなサブカルチャーに依拠しており、そこにはある種難解になりがちであるハードSFに外連味溢れるキャラクター像を持ち込むことによってハードSF自体を脱臼していくような効果がある。デビュー作にしても壮大な人類の叙事詩を描き本格SFの金字塔として名高いオラフ・ステープルドンの『最後にして最初の人類』の題がパロディとして選ばれたことが示唆的である。草野の起こす今後の暴走がますます「お固い」SFを豊かにしていくであろうことが期待される。

『最後にして最初のアイドル』ハヤカワ文庫ＪＡ

重厚な世界のなかで連鎖する悲劇　オキシタケヒコ

やらずの

ゲームプランナー、シナリオライターとしてのバックグラウンドを持ちながら、2011年の第2回創元SF短編賞で最終候補作となっていた「What We Want」（『原色の想像力2 創元SF短編賞アンソロジー』創元SF文庫収録）が同賞のアンソロジーに収録。翌年の第3回創元SF短編賞で優秀賞を受賞する。その後、自身初のライトノベル作品である『筐底のエルピス　――絶滅前線――』（ガガガ文庫）を上梓。同作はシリーズとなり、2022年12月現在で7巻まで刊行されている。

オキシタケヒコは地獄を描くのが抜群にうまい。強大すぎる敵、打開不可能な状況――数々の苦難を主人公たちの前に立ちはだからせ、乗り越えたカタルシスの先にすら、新たな地獄を用意している。『筐底のエルピス』はライトノベルのレーベルから刊行されているが、本格的なバトルアクションSFで設定も重厚かつ展開もヘヴィー。多数の陣営や登場人物の複雑に絡み合う思惑、〈停時フィールド〉というワンアイディアながら無数の能力に展開されるギミックなども大いに加担し、スリリングで刺激的なシリーズになっている。

『筐底のエルピス　―絶滅前線―』ガガガ文庫

壁を越えていけ、新世代のtranscender　ユキミ・オガワ

池澤春菜

日本・群馬県出身の作家。

その作品は多くが英語で書かれ、英語媒体に掲載されている。英語を母語とするのではなく、大学時代に英語を専攻し、高校生の時にイギリスに十ヶ月留学していたオガワが英語で物語を書き続けるには「母語ではないので作品と距離を取りやすい。書くツールとしての日本語のリズムにしっくりこない」からだと言う。また「短編の投稿先としては英語媒体のほうが選択肢が多い」とも。

２０１３年に「Town's End (Strange Horizons)」が『The Year's Best Science Fiction & Fantasy, 2014』に初のプロ誌掲載作として収録。その他、「The Magazine of Fantasy & Science Fiction」や「Clarkesworld」、『The Best of World SF: Volume 2』など。

漫画を数多く読んで育ち、初めて喋った言葉は「ときめきトゥナイト」だったそう。

『The Best of World SF: Volume 2』Head of Zeus

人の可能性を背負い、AIと物語を織る作家　高島雄哉

やらずの

2014年に第5回創元SF短編賞を受賞してデビュー。その後、2022年には作家と並行してSF考証家としての活動もスタートし、『ゼーガペイン ADP』や『機動戦士ガンダム水星の魔女』などの作品に関わっている。また作家としては2021年12月より、AIとの共著作「失われた青を求めて」をWeb上にて連載している。

デビュー作『ランドスケープと夏の定理』（創元SF文庫）文庫版のあとがきで高島雄哉は「SFは世界把握の試みになりうる」と語っている。これはSFが科学と寄り添う芸術であり、自由な営みであるという自身のスタンスによるものだが、高島にとってこれは単なる作品世界に留まる話ではないのだろう。AIとの共著作「失われた青を求めて」では、高島は小説執筆という生身の行為のなかにさえSFを接続しようとしている。これはたぶん、とても勇気のいる挑戦だろう。目覚ましく発展したAI技術は人間の知性すら凌駕する可能性をかなり具体的なかたちで秘めているのだから。人とAI――異なる知性が共に綴った物語がどう展開されるのか、よりセンシティヴで鮮やかな挑戦が進行している。

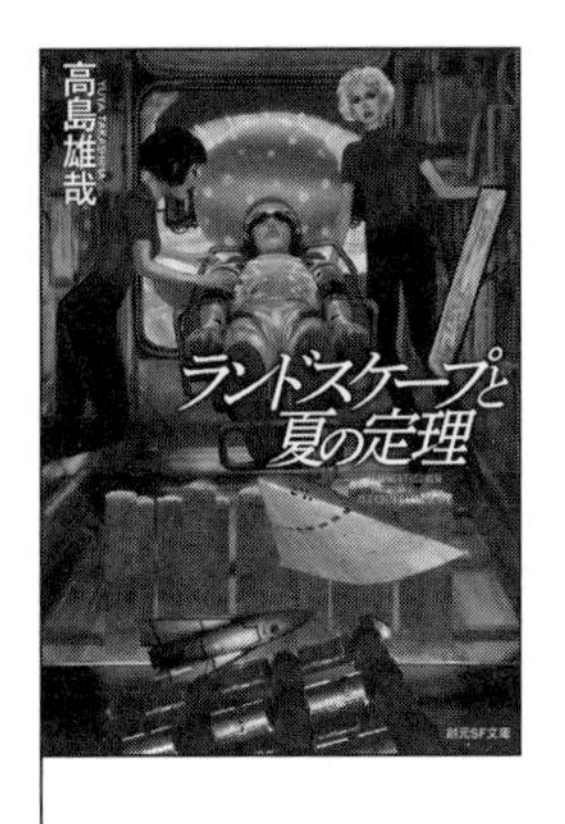

『ランドスケープと夏の定理』創元ＳＦ文庫

花開くアジアのSF

立原透耶

アジアのSFといえば最初に思い浮かべるのは中国の作家劉慈欣の『三体』三部作（立原透耶監修、大森望、光吉さくら、ワン・チャイ訳、早川書房）である。世界中で社会現象になった本作のみならず、日本では彼の童話『火守』（池澤春菜訳、角川書店）や短編集が次々と発売されており、まだまだブームは去らない様子である。とはいえ、広くアジアという観点から見れば、SFは無論『三体』だけではない。例えば中国大陸のSF四天王である王晋康、韓松、何夕などの作品は既に日本に何作も短編が入ってきている。若手では『三体』の二次創作が公式に認められて発売された『三体X』（大森望、光吉さくら、ワン・チャイ訳、早川書房）の作者、宝樹は時間SFの名主であり、『時間の王』（稲村文吾、阿井幸作訳、早川書房）という単行本も発売されている。また日本では特に人気のあるのが郝景芳で、繊細な筆致と理知的な文章が絶妙なハーモニーを生み出しており、もはやSFという枠を超えた作品として高く評価されている。特に一冊を選ぶなら『1984年に生まれて』（櫻庭ゆみ子訳、中央公論新社）であろうか。

アンソロジーに目を向けてみると、驚くほどの数の作品が出版されている。例えば『中国史SF短篇集 - 移動迷宮』（大恵和実編訳、上原かおり、大久保洋子、立原透耶、林久之訳、中央公論新社）、『中国女性SF作家アンソロジー - 走る赤』（武甜静、橋本輝幸編、大恵和実編訳、中央公論新社）では、テーマを決めて作品を選出している。『時のきざはし 現代中華SF傑作選』(立原透耶編、新紀元社)では幅広い世代、老若男女の作家から作品を掲載している。早川書房でも多数の翻訳アンソロジーが出版されており、多くはケン・リュウによって選ばれた作品の英訳を日本語訳にしているという、重訳の形をとっている。

中国大陸の作家たちは現在若手が大活躍しており、英語のできる彼らはどんどん海外へと進出している。例えば夏笳は初めから英語で小説を書き、それを英語圏で発表するという手段をとった。他にも直接英語で執筆する作家や、中国語を英語に翻訳する翻訳家など、驚くほど多くの若者たちが活動しており、その効果もあったのか、2023年には中国の成都で世界SF大会(ワールドコン)の開催が決定している。これは日本の横浜に続く、アジアで二番目の開催であり、アジアとしては快挙でもある(7月予定から10月末予定に変更になったので参加予定者は注意のこと)。

これらを支えているのが老舗SF雑誌「科幻世界」。成都に社屋を置き、中国国内限定のSF大賞、銀河賞を主宰し続けている。また近年は一年に一度、日本SF特集も組んでおり、海外への広い眼差しが特徴的である。他にもネットと雑誌の双方で頑張っている比較的新規の雑誌「科幻CUBE」や大学生たちの発行する同人誌など種々雑多、質の高い内容のものが発行されている。ネットでは突出しているのが「不存在」。さまざまなニュースなどを毎日配信、配信元の未来事務管理局は中国と他国との繋がりを大切にする種々雑多な仕事を一手に引き受けるSF関連会社で、映画化や翻訳、アニメ化などを担当している。
　中国のSFの大きな特徴と言えるものには主に二つ挙げることができる。一つはファン層である。もともとは生徒や学生たちが読み、卒業すれば離れていく「子供向け」の雑誌とみなされていたが、大学入試にSFが用いられるなど状況が一変。馬鹿にされない存在になったところで、ファンの離脱が減少。卒業してもファンを続ける層が増大、今や作家、翻訳家、編集、それに出版社などのSFに関する労働まで行うようになったのである。そのため例えばSF大会などに参加する層は小学生から三十代前後の若手が中心となり、熱気あふれる状況となっている。高齢化の進む日本とは大違いの光景が広がっている。これらの点だけでも十分に特徴的だあると言えるが、もう一点、SFによる授業というのも特徴的であろう。教科書にもSFが用いられており、「どのようにSFを子供に読ませるか」といった本まで発売されており、教育とSFが密接に結びついている。これもまた、中国に特有の考え方であると言えるのではないだろうか。

　台湾や香港では中国大陸ほどSFのブームは起こっていない。しかし台湾では幻想的な小説やSFが、コツコツと発売され続け、日本にもそれらが入ってきている。問題はSFとしてではなく、純文学の一派として入ってきていることが多いため、SFファンには気づかれにくいことだろうか。代表的な作品に紀大偉『台湾セクシュアル・マイノリティ文学［2］中・短篇集――紀大偉作品集『膜』【ほか全四篇】』（黄英哲、垂水千恵編、白水紀子編訳、白水社）、呉明益『歩道橋の魔術師』（天野健太郎訳、河出文庫）、『複眼人』（小栗山智訳、角川）など多数存在している。香港は作品自体を発表する場が少なく、香港作家が台湾で出版するといった状態が続いている。香港の市場は冷え切っており、香港人の一年に読む本の冊数は一～二冊なのだそうだ（それには狭い土地環境、小さな家といった収納の問題も大きく関わっているらしい）。

韓国はここ数年驚くべき勢いで世界進出を果たしている国の一つである。中国大陸ほどではないが、それでも日本においては、アジア圏で最も翻訳出版されているといっても良いだろう。

特に韓国ではＳＦ組織を作り、組織だった活動を行い、海外でもロビー活動が盛んである。私設のＳＦ図書館まで存在している。作家たちの紹介パンフレットの作成や、英語圏や中華圏への作品の推薦など、日本とは比べ物にならないほど精力的な活動を行なっており、実際に日本でも多くの作品が翻訳されているのはいうまでもないだろう。日本もぜひ後に続いて世界にはばたいてもらいたいものである。

非英語圏SF

橋本輝幸

まず頭に浮かんだのは、1968年から1971年にかけて早川書房から刊行された〈世界SF全集〉だった。「S-Fマガジン」初代編集長の福島正実の野心的な企画である。かつてSF小説を読んでみようと思った十代後半のころ、図書館の〈世界SF全集〉と〈ハヤカワSFシリーズ〉を題名の好みだけで選んで読んだ。そのとき気づいたのが、日本では古くから非英語圏の作品も精力的に出版されていた事実だ。〈世界SF全集〉にはフランスのジュール・ヴェルヌや、ロシアのアレクサンドル・ベリャーエフ、チェコのカレル・チャペック、ウィーン生まれのドイツ語作家ヘルベルト・W・フランケ、ポーランドのスタニスワフ・レム（当時の表記はスタニスラフ・レム）などが名を連ねていた。欧州中心ではあるが、非英語圏も網羅しようとした気概を感じる顔ぶれだ。「S-Fマガジン」では2003年10月号、2014年5月号で非英語圏SFが特集され、2007年7月号にも非英語圏作家の短編が四作掲載された。残念ながら近年は中国SF、アジアのSFしか特集されていない。

さて、ここ十年に翻訳出版された非英語圏のSF書籍を簡単に振り返る。

ドイツSFでは、早川書房から世界最長のSFシリーズ〈宇宙英雄ペリー・ローダン〉の刊行がとぎれなく続く。また、社会派テクノスリラー路線の小説は数年おきに出版されている。

たとえばトム・ヒレンブラント『ドローンランド』(赤坂桃子訳、河出書房新社)、マルク＝ウヴェ・クリング『クオリティランド』(森内薫訳、河出書房新社)、アンドレアス・エシュバッハ『NSA』(赤坂桃子訳、ハヤカワ文庫NV)だ。

チェコ語ではヤロスラフ・オルシャ・jr.編、平野清美編訳の『チェコSF短編小説集』(平凡社)が同国のベテランSF作家を一気に紹介したほか、幻想文学作家ミハル・アイヴァスの『もうひとつの街』『黄金時代』(阿部賢一訳、河出書房新社)も見逃せない。

フランスからはロラン・ジュヌフォールの巨編〈オマル〉シリーズが二冊翻訳された(平岡敦訳、新☆ハヤカワ・SF・シリーズ)。

スペイン語SFはキューバのジョシュの短編集『バイクとユニコーン』(見田悠子訳、東宣出版)が出版されているほか、最近はスペイン語のホラーが続けて出ている印象だ。ボリビアのテクノスリラーのエドゥムンド・パス・ソルダン『チューリングの妄想』(服部綾乃、石川隆介訳、現代企画室)や、アルゼンチンの奇想小説家セサル・アイラの短編集『文学会議』(柳原孝敦訳、新潮クレスト・ブックス)はSF要素のある文学作品である。ヘブライ語から翻訳されたエトガル・ケレット『銀河の果ての落とし穴』(広岡杏子訳、河出書房新社)、アラビア語から翻訳されたアフマド・サアダーウィー『バグダードのフランケンシュタイン』(柳谷あゆみ訳、集英社)も似たような立場だろう。ロシア作家もエドゥアルド・ヴェルキン『サハリン島』(北川和美、毛利公美訳、河出書房新社)のような例外はあるものの、ミハイル・エリザーロフやウラジーミル・

ソローキン、ヴィクトル・ペレーヴィンはSF作家としてSF要素のある小説を書いたわけではないがロシアのSF情報データベースにも項目があり、特にペレーヴィンの最新作の設定は本格的なSFである。

「SF作家」の非英語圏SFが紹介される機会はそう多くない。では世界ではSF小説が書かれていないのか？　そんなことはないが、規模の小さい自国の市場に見切りをつけた作家たちは英語で書いて英米での出版を目指している。欧州の作家たちや、英語が公用語である南アジアや東南アジア、アフリカのナイジェリアやケニアの作家たちの間ではそういった流れができている。たとえば『茶匠と探偵』（大島豊訳、竹書房）の作者アリエット・ド・ボダールもフランス人だが英語で書いている。

だが、非英語圏でももちろんSF出版活動は続く。ナイジェリアのアフリカSFウェブ雑誌「Omenana」は当初、英語での投稿のみを受けつけていたが近年はフランス語の投稿も受けつけ、毎号二、三作はフランス語の小説を載せる。アメリカの月刊SFウェブ雑誌「Clarkesworld」はもともと翻訳の掲載に積極的で、二〇二二年には試験的にスペイン語の投稿を募集した。ブラジルの電子雑誌「Eita!」はポルトガル語と英語の二言語で刊行されている。オランダでは、前年に出版されたSF小説を表彰するポール・ハーランド賞の授賞にあわせ、オランダ語の短編SFの公募が始まった。

翻訳も絶えたわけではない。イタリアで「Future Fiction」叢書を主宰するフランチェスコ・

ヴェルソは近年、世界のSF中短編をめざましく出版している。インドでは、ベンガル語初にして唯一のSFウェブ雑誌「Kalpabiswa」が翻訳や書籍出版にも注力し、スタニスワフ・レムやレイ・ブラッドベリのベンガル語翻訳をこのほど果たした。

非英語圏SFは広範すぎてとても数人ではカバーしきれない。SF小説に興味を持つ人による積極的な発掘に期待したい。

アンソロジーのすすめ

日下三蔵

通常の短篇集が、ある作家の短篇作品を集めたものであるのに対して、複数の作家の短篇をひとつのテーマで集めた短篇集を「アンソロジー」と呼ぶ。

プロ作家はそうそう傑作ばかり書けるものではないから、極端な駄作はなくても一冊の短篇集にベスト級の作品が数本あれば、それは充分に「当り」と言える。これに対して、そもそもアンソロジーは基本的にベスト級の作品が選ばれるものであるから、短篇集としてみた場合の期待値が高くなるのである。

また、そのジャンルの初心者ほど未知の作家が多い訳だから、アンソロジーで多くの作品に触れることで、お気に入りの作家が見つかる可能性も高まっていく。

つまり、アンソロジーは読んで楽しいだけでなく、作家のカタログ、見本帳としても使えるお得な形式なのだ。

オーソドックスなテーマとして、ある年に発表された秀作を対象にした「年間ベスト」がある。現在はちくま文庫に入っている筒井康隆編《日本ＳＦベスト集成》シリーズ（全6巻）を読めば、60年代から70年代前半にかけてのＳＦ界の動きを追体験することができるし、主要な作家の作品は、ほぼ洩れなく読めるので、強くお勧めしておきたい。

大森望と日下三蔵の共編による創元SF文庫の《年刊日本SF傑作選》（全12巻）は、2007年から2018年までの12年間に発表された作品を年に一冊ずつまとめたもの。平成以降に活躍している作家は、ほとんどカバーできるはずだが、残念ながら品切れのため、図書館や古書店を利用して、ぜひ読んでいただきたい。年間ベストアンソロジーは大森望単独編集の竹書房文庫《ベストSF》シリーズに引き継がれ、2022年までに三冊が出ている。

網羅的なアンソロジーとしては、日本SF作家クラブ50周年記念でハヤカワ文庫JAから出た《日本SF短篇50》（全5巻）がお勧め。一年に一作のベスト短篇を選び、五十人の五十作で日本SFの歴史をたどる。

ハヤカワ文庫JAでは、大森望編《2010年代SF傑作選》（全2巻）、伴名練編《日本SFの臨界点》（全2巻）なども質が高い。

テーマ別アンソロジーでは汐文社で日下三蔵が編んだ《SFショートストーリー傑作セレクション》（全8巻）を挙げておきたい。「宇宙」「時間」「異次元」「超能力」などテーマ別に名作短篇をセレクト。解説ではSFの歴史を詳しく紹介しておいたので、若い読者に、ぜひ読んでいただきたいと思う。

既に発表されている作品をチョイスしたものの他に、実力ある作家の新作短篇を集めた「オリジナル・アンソロジー」というスタイルもあり、こちらは雑誌に近い。
井上雅彦編《異形コレクション》（廣済堂文庫→光文社文庫）と大森望編《NOVA》（河出文庫）の二大シリーズが質・量ともにツートップ。これに東京創元社《GENESiS》（全5巻）を加えてお勧めしたい。

翻訳もので真っ先に読むべきは「S-Fマガジン」初代編集長だった福島正実の編んだ一連のアンソロジーだろう。未来もの、破滅ものなどテーマ別に古典的な傑作短篇が網羅されており、芳賀書店から単行本で10冊、講談社文庫で再編集されて8冊が出ている。

これと中村融・山岸真編の河出文庫《20世紀SF》（全6巻）を併せて読めば、海外SFについての一通りの基礎知識が得られる。ただ、どちらも品切れなので、頑張って図書館か古書店で探して欲しい。

さらにハヤカワ文庫SFで橋本輝幸の編んだ『2000年代海外SF傑作選』『2010年代海外SF傑作選』の2冊を読めば最新の作家までを知ることができる。また、立原透耶編『時のきざはし』（新紀元社）は中国、シェルドン・テイテルバウム&エマヌエル・ロテム編『シオンズ・フィクション』（竹書房文庫）はイスラエルのSFを蒐めたもので、いずれも滅法面白い。

海外SFのテーマ・アンソロジーでは、創元SF文庫の伊藤典夫編『吸血鬼は夜恋をする』

（ショートショート）と中村融編『街角の書店』（異色短篇）をお勧めしておく。

アンソロジストは作品の配列にも気を配るものだから、一冊の本を頭から通読するのに越したことはないが、読者はそこまで難しく考える必要はないだろう。目次を見てタイトルが気になった作品から拾い読みしても、一向にかまわないのだ。とにかくアンソロジーを活用すれば、好きな作家が何人も見つかるし、そこから読みたい本が次々に繋がって、読書の楽しみも広がっていくはずである。

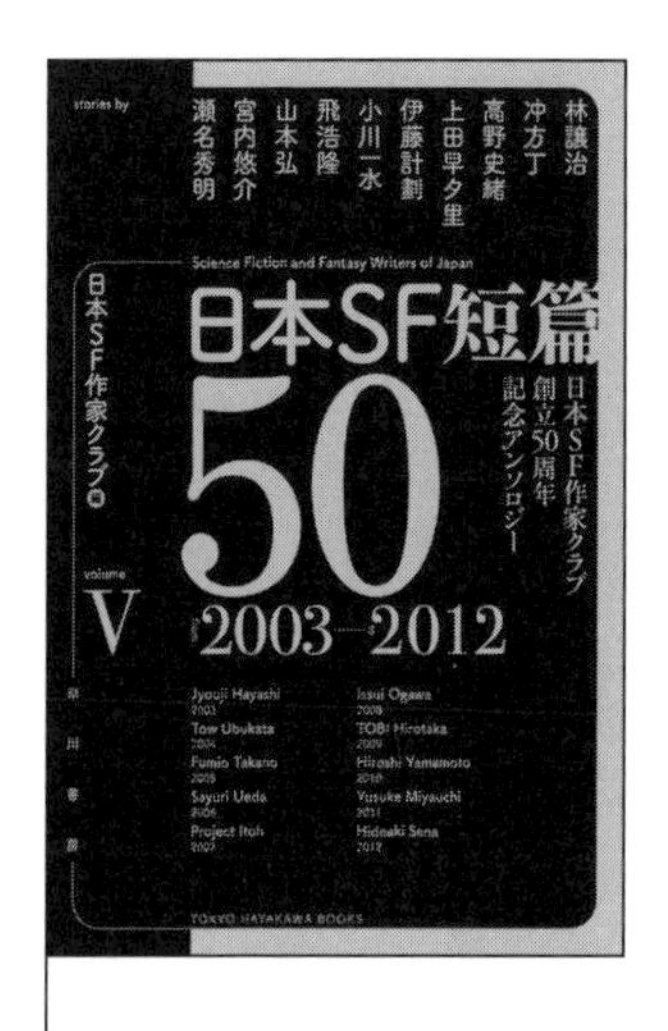

『日本ＳＦ短篇50　V』ハヤカワ文庫ＪＡ

最新SF小説原作映像化事情

堺三保

かつて、SFやファンタジーというのは映像の世界ではキワモノ扱いされていた。それが『スター・ウォーズ』の大ヒットで1980年代以降、一気にエンタテインメントのメインストリームに躍り出た。これには、特撮技術の劇的な進歩によって、それまでは実写では不可能だと思われていたような非現実的なイメージでも、映像化することができるようになってきたという点が大きく関わっている。いわゆる「子供だまし」な絵ではない、リアルな映像が提供されるようになったのだ。

とはいえ、それらはあくまでも娯楽性の高い作品が中心であり、シリアスでテーマ性の高い小説作品の映像化は、少数の例外を除いては実現性が低かった。

また、長編SF小説を原作にする場合にはもう一つ、映画にするにはストーリーが長すぎ、テレビドラマにするには必要とされる予算が大きすぎるという問題もあった。

ところが、この十数年で状況はすっかり変化した。古典から最新作まで、重厚長大なSF小説の映像化権が次々に買い取られ、製作が進行しているのだ。

これにも二つの要因が考えられる。一つには、映画におけるブロックバスター作品の超大作特撮映画化だ。いまや、ディズニーが抱えているマーベルコミックスと、ワーナーが抱えているＤＣコミックスのスーパーヒーローものを原作とした超大予算で特撮をふんだんに使ったＳＦアクション映画が、毎年興行収益のトップを走るようになっている。そして、他のハリウッドメジャー各社も、それに匹敵するようなスケール感のある原作を求めており、その条件にＳＦ小説が当てはまっているのだ。

そしてもう一つは、配信サービスの興隆にある。今までのテレビ放送と違い、視聴者から直接月額契約費を取って収入源としている配信サービスは、テレビ放送ほど多くの視聴者へのリーチは望めない代わり、大きな予算をかけて豪華な作品を作ることで、お金を払ってまで見てくれる熱心なファンにアピールするため、テレビ放送の番組とは桁違いの予算を各作品に投じるようになったのである。

さて、そんな中でも、一際注目を浴びているのが、フランク・ハーバートの『デューン／砂の惑星』だろう。原作の世界観とストーリーを、『メッセージ』、『ブレードランナー２０４９』のドゥニ・ヴィルヌーヴ監督が、二部作として忠実に再現した大作で、ヴィルヌーヴは二作目の成績次第では、さらに三作目として原作第二巻の『デューン／砂漠の救世主』の映画化も検討中だという。

一方、配信サービスに目を向けるとこちらはまさに百花繚乱といった様相を呈している。

特に異世界ファンタジーは、何冊も続く大長編が多く、映画よりも配信サービスの連続ドラマに向いていると言っていい。ジョージ・Ｒ・Ｒ・マーティンの『氷と炎の歌』とＪ・Ｒ・

R・トールキンの『指輪物語』という異世界ファンタジー界の新旧二大傑作の映像化は、それらの中でも別格の人気を誇っており、現在はそれぞれ本篇の前日譚である『ハウス・オブ・ドラゴン』、『力の指輪』を配信中だ。その他にもフィリップ・プルマンの『ライラの冒険』三部作、ロバート・ジョーダンの『時の車輪』といった大作のドラマ化が好評となっている。中でも『ライラの冒険』は一作目が映画化されたものの、興収が今一歩で続編の映像化が止まってしまっていたのが、今回はテレビドラマとしてきちんとシリーズの完結まで描ききっており、先に述べたように、映画よりも連続ドラマの方が大長編の映像化に適していることを表していると言える。

SFに目を向けると、ウィリアム・ギブスンの『ペリフェラル（未訳）』やジェームズ・S・A・コーリイの〈エクスパンス〉シリーズ（第一作『巨獣目覚める』のみ既訳）といった最新の作品から、アイザック・アシモフの〈ファウンデーション〉シリーズやフィリップ・K・ディックの『高い城の男』といった古典的作品まで、古今の名作がずらりとそろっている。そんな中でも変わり種の注目の配信作品がCGアニメ・アンソロジー『ラブ、デス＋ロボット』だ。これは英米の最新のSF短編を映像化するというもので、作品ごとに違うスタジオに発注、絵柄も手法もガラッと変えているところが斬新だ。

今現在製作中となっている作品にも、新旧の名作の名前がずらりと並んでいる。劉慈欣の『三体』、アーサー・C・クラークの『宇宙のランデヴー』、N・K・ジェミシンの〈破壊された地球〉三部作、アンディ・ウィアーの『プロジェクト・ヘイル・メアリー』、ダン・シモンズの『ハイペリオン』、トミ・アデイェミの〈オリシャ戦記〉、オクテイヴィア・E・バトラーの『キンドレット』および『Ｄａｗｎ（未訳）』等々、ＳＦファンにとっては夢のようなタイトルの映像化企画が続々と進行中なのだ。まさにＳＦ映画／ドラマの夏の時代が到来しているのである。

ライトノベルに確固たるジャンル築くSF
時間や宇宙をテーマに技術や世界の変貌を描く

タニグチリウイチ

筒井康隆『時をかける少女』（67、角川文庫）や平井和正『超革命的中学生集団』（71、角川文庫）を源流と見る向きもあるくらい、ライトノベルは黎明期からSFと深い繋がりを持っていた。今もSFはライトノベルの中に確固としたジャンルを築き、傑作を送り出し続けている。

SFの新人賞が開かれなかった90年代に、才能を持った書き手がライトノベルでSF作品を書いていたのは知られるところ。ファーストコンタクトやタイムトラベルといったテーマが盛り込まれた笹本祐一『ARIEL』（86、ソノラマノベルズ）があり、宇宙開発の可能性を探る野尻抱介『ロケットガール』（95、富士見ファンタジア文庫）があって湧き出たSFの水流は、サイバーパンク的な世界観と言語感覚で魅せる古橋秀之『ブラックロッド』（96、電撃文庫）や、人類が滅んだ未来を舞台に猫とロボットとの交流を描く秋山瑞人『猫の地球儀』（00、電撃文庫）などを生み出す。

そして2003年に谷川流『涼宮ハルヒの憂鬱』（角川スニーカー文庫）が登場する。涼宮ハルヒという傍若無人な女子高生が主人公の学園ものに見せて、高次元的な存在による人類の監視や未来人による干渉といったディープなSF的題材を詰め込んでSF好きを揺さぶった。

TVアニメの人気もあって広く認知された「涼宮ハルヒ」シリーズは、ライトノベルの代名詞にもなってラブコメや部活もの、そしてSFといったジャンルを盛り上げていく。トム・クルーズ主演で映画化された桜坂洋の時間SF『All You Need Is Kill』（04、集英社スーパーダッシュ文庫）や、世界累計発行部数が3000万部を突破している川原礫のVRゲーム小説『ソードアート・オンライン』（09、電撃文庫）などが登場。これらのヒットで同種のテーマを持ったSFライトノベルを生み出す流れが起こり、今に繋がる。

辻村七子による『螺旋時空のラビリンス』（15、集英社オレンジ文庫）は、19世紀のパリに未来から来た泥棒が、時の牢獄からどう抜け出すのかを描いたタイムループSFだった。『君と時計と嘘の塔 第一幕』（15、講談社タイガ）から始まる綾崎隼の「君と時計」シリーズも、ループする時間の中で少年が知人を死から救おうとあがく物語だった。ゲーム系では〝転生〟したゲーム内の世界で青年が魔王となる丸山くがね『オーバーロード』（12、KADOKAWA）も世界で大人気だ。

現実とは異なる世界の創造に挑むライトノベルも出て来た。『とある飛空士への追憶』（08、ガガガ文庫）で巨大な瀑布により分断された世界を見せた犬村小六は、『いつか恋するヴィヴィ・レイン』（16、ガガガ文庫）で三層構造に分断された世界が、対立から融合へと向かう様を描いた。川上稔『境界線上のホライゾン』（08、電撃文庫）は滅びかけた人類が、過去の歴史を再現しながら新しい世界を構築しようとあがく姿を紡いだ。

ライトノベルは、現在のSFのシーンを盛り上げている作家も多く生み出した。冲方丁や長谷敏司、小川一水といった日本SF大賞受賞作家だけではない。『know』(13、ハヤカワ文庫JA)や『タイタン』(20、講談社)で未来のビジョンを示し続けている野﨑まどは、『[映]アムリタ』(09、メディアワークス文庫)から『2』(12、メディアワークス文庫)へと続く一連の作品を通し、技術によって変わる人類の未来を示唆した。

遠い星へと移民する人類を描いた『約束の方舟』(11、ハヤカワ文庫JA)の瀬尾つかさによる『クジラのソラ』(06、富士見ファンタジア文庫)は、地球人を征服した宇宙人に迎え入れられたいと競い合う少年少女が登場する設定がクラークを思わせた。『セルフ・クラフト・ワールド』(15、ハヤカワ文庫JA)で人類が情報化され遠い未来に生き延びるビジョンを見せた芝村裕吏の『マージナル・オペレーション』(12、星海社)は、少年兵とその指揮官の物語を通して紛争と反抗によって均衡が崩れる世界の姿を予言した。籐真千歳、九岡望、多崎礼、斜線堂有紀、宮澤伊織らも越境組として覚えておきたい名前だ。

カテゴリーの垣根を超えて拡大していくライトノベルSFの現在地もまた、大いなる可能性を見せるものとなっている。安里アサト『86――エイティシックス――』(17、電撃文庫)は、戦闘機械が人類に反旗を翻して攻撃してくるのに少年兵たちが立ち向かう凄絶なストーリー。菊石まれほ『ユア・フォルマ 電索官エチカと機械仕掛けの相棒』(21、電撃文庫)は、最先端の技術が絡んだ事件に人間の捜査官とロボットの相棒が挑む、アシモフばりのSFミステリだ。

七瀬夏扉『ひとりぼっちのソユーズ』(21、主婦の友社)は、月で人類が暮らすようになった時代の世界の有り様を見せ、時空を遡って過ちを取り戻そうとする男の苦悩を描いた。進み方が違う時間を生きることになった少年と少女を描く『夏へのトンネル、さよならの出口』(19、ガガガ文庫)でデビューした八目迷は、続く『昨日の春で、君を待つ』(20、ガガガ文庫)、『琥珀の秋、0秒の旅』(22、ガガガ文庫)で時間テーマのSF作品を書き続けている。

ここまで挙げてもおそらく1%も紹介しきれていないライトノベルSFのフィールドは広大で深い。足を踏み入れたらもう出られない。

アフロフューチャリズムとは

丸屋九兵衛

なぜ、自分に似た(＝同じ民族の)人々が映画に出てこないのか、TVドラマで活躍しないのか、あるいは教科書で取り上げられないのか。そういった疑問や憤りが新たなムーヴメントを起こすのは世の常。いつだって〝representation matters〟であり、人は誰しも自分たちが主人公の物語を必要としているのだ。

そんな衝動から生まれた「黒人による黒人のための黒人中心SF」がアフロフューチャリズム。歴史改変、ファンタジー、マジック・リアリズムと重なる部分も多々ある。主な担い手はアメリカ合衆国黒人で、そこから各地の在外アフリカ系ピープル(UKやカリブなど)へと拡散した運動だ。彼らディアスポラ黒人にとって、representationの問題は特に切実だから。ゆえに、アフロフューチャリズムは、民族の誇りや人間としての尊厳とも深く関わっている。

初期の偉人たち

歴史を紐解くと、のちのアフロフューチャリズムに繋がる黒人SFが19世紀から書かれていたことに驚くが、この動きを本格化したのはやはりサミュエル・R・ディレイニーだ。時としてメキシコ湾のエビ漁師、時として放浪のフォークシンガー、黒人でゲイで学習障害者で、しかし差別が厳しい60年代に10代デビューを果たした、キャラクター立ちすぎの天才である。

一見すると単純で血湧き肉躍る冒険譚に、神話から引用したあれこれを散りばめて深読みの面白さを提供、サイバーパンク的発想も早くから披露したうえに、文芸としてもネクスト・レヴェルを目指した希有な作家だ。『アプターの宝石』（下浦康邦訳、サンリオSF文庫）に始まり、『エンパイア・スター』（岡部宏之訳、サンリオSF文庫、現在は電子書籍あり）『アインシュタイン交点』（伊藤典夫訳、ハヤカワ文庫SF）『バベル－17』（岡部宏之訳、ハヤカワ文庫SF）『ノヴァ』（伊藤典夫訳、ハヤカワ文庫SF）『ダールグレン』（大久保譲訳、国書刊行会）。ほとばしる情熱を抑えきれないかのように書き続けた60年代を過ぎて70年代はペースが緩み、80年代からの活動は散発的になっているが、その偉業は否定しようがない。

そんなディレイニーと並ぶ初期アフロフューチャリズムの巨人と見なされるオクテイヴィア・E・バトラーは、対照的に日本での紹介がとても遅かった。長編はタイムスリップもの『キンドレッド きずなの召喚』が92年に出たのみという状態が長く続いたが、2022年になって『血を分けた子ども』（以上河出書房新社）が邦訳刊行され、ついで『種播く人の物語』『才有る人の物語』も刊行予定のようだ。しかし、ファンタジー系のPatternistと未来異種婚姻譚のXenogenesisという二大看板シリーズは手つかず、惜しい。

93年以降の展開

ここまで「アフロフューチャリズム」を連発してきたが、このターム自体は93年生まれ。よって、前記の作家や作品は、振り返り&後追いでアフロフューチャリズム認定されたものだ。それ以降の世代を紹介するなら、まずはN・K・ジェミシンを外せない。本国での出世シリーズであるInheritance Trilogy(邦訳は『空の都の神々は』と『世界樹の影の都』の二部のみ、いずれも佐田千織訳、ハヤカワ文庫FT)もさることながら、〈破壊された地球〉三部作(『第五の季節』と『オベリスクの門』が邦訳済み、第三作『輝石の空』が2023年3月刊行、いずれも小野田和子訳、創元SF文庫)を推薦しておこう。史上初、ヒューゴー賞長編部門で3年連続受賞を成し遂げたシリーズで、彼女がここ十年強、アフロフューチャリズムの顔となったのも頷ける。

冒頭で書いたように、アフロフューチャリズムでは民族の誇りや尊厳が重要だ。だが、敬愛するSF/ファンタジーの偉大な白人作家がレイシストだったら、どうする? 勝手にスピンオフを作ってしまうのだ!

というわけで、クトゥルー神話作家H・P・ラヴクラフトの「レッド・フックの恐怖」を黒人男性の視点からリテリングしたのが、ヴィクター・ラヴァルの『ブラック・トムのバラード』(藤井光訳、東宣出版)。また、志を同じくするドラマ『ラヴクラフトカントリー 恐怖の旅路』も原作こそ白人だが、黒人プロデューサーのMisha Greenがドラマを主導したことを指摘しておこう。

歴史改変系では、奴隷制時代に逃亡黒人を支援した〝Underground Railroad〟という組織を「実際に奴隷を乗せて走る逃亡用の地下鉄」としてリ・イマジンしたコルソン・ホワイトヘッドの『地下鉄道』（谷崎由依訳、ハヤカワepi文庫）がある。

ソフィア・サマターの『図書館島』（市田泉訳、創元推理文庫）は、低緯度地方で繰り広げられる書物と口承の戦いを描く「文化系ファンタジー」。サマターには、ル・グインの系譜に連なる書き手としての活躍を期待したい。

グロテスクなディストピアとしての現代を戯画化して描き出すのがナナ・クワメ・アジェイ＝ブレニヤーの『フライデー・ブラック』（押野素子訳、駒草出版）。残酷さとユーモアが溶け合う傑作だ。

ここまで駆け足で挙げてきたが、日本未紹介なれど魅力的な作品が多々あるアフロフューチャリズムの世界。もっともっと邦訳が進むことを祈りたい。

現代日本のジェンダーSF

水上文

SFにはその始まりから、性をめぐる思索が孕まれていた。科学技術を用いて「人間」の人工的創造を、新たなる「生殖」を描こうと試みたメアリー・シェリーによる『フランケンシュタイン』はその筆頭例である。19世紀に生み出されたこの小説は最初のSF小説とも言われ、同時にフェミニズム／クィア批評で様々に言及され続けてきたジェンダーSFの古典である。

今とは別の生／性、異なる世界への想像力――それは現在に対する批評であり未だかつてない可能性を切り開くための手段でもあるのだ。本稿は、そうした想像力を引き継いで描かれる作品、とりわけ現代日本で生み出されている作品のいくつかを紹介するものである。

長野まゆみ『新世界より』

さて、1990年代は明らかに、現代日本文学に新しい風景が出現した時代であった。足の親指がペニスに変貌する女性を主人公とする松浦理英子の『親指Pの修業時代』(河出書房新社)、前近代的な民話的世界を下敷きに言語と身体の変容を描く多和田葉子の『犬婿入り』(講談社)、性差別的な言語システムとの文字通りの格闘を描く笙野頼子の『レストレス・ドリーム』（河出書房新社）――以降も各々の追求を試みる代表的作家らが華々しく表舞台に躍り出た時代こそ、90年代だった。

中でも最もSF的に、直接的に生殖をめぐる思考実験を行った作品が、96年から開始された長野まゆみによる『新世界より』（全5巻、河出書房新社）である。

太陽から遠く離れた星で少年たちが繰り広げる、美しくも悪夢のような生殖をめぐる寓話的物語は、今現にある性／生殖のグロテスクさを告発するかのようである。少年同士の性愛が中心的に描かれ、同時期に芽吹いたJUNEジャンルとの共振も感じさせるそれは、90年代日本が生んだ新たなる『フランケンシュタイン』だったのだ。

村田沙耶香『殺人出産』『消滅世界』

猛烈な「ジェンダーフリー・バックラッシュ」が巻き起こったゼロ年代を経て、再び活性化するジェンダーSFの口火を切ったのは、2014年、村田沙耶香による『殺人出産』（講談社）である。十人産めば一人殺しても良い、そんな「殺人出産制度」が認められた世界を描くその作品は、生殖を残酷極まりないものとして再提示していた。

そして翌年の『消滅世界』（河出書房新社）で展開されるのは、人工授精で子どもを産むことが常識となり、今ある「性行為」も「家族」も消え失せていく世界の物語である。

本作の特異な点は、二次元のキャラクターに親密さを覚える女性を主人公として異性間の人工授精を描き、男性妊娠や非異性愛に頼らず「生殖」を問い直している点にある。というのも、生殖を扱うジェンダーSFは、現状への批判的な意味合いから男性による妊娠や非異性愛を描き、翻って妊娠する男性や非異性愛を思考実験の道具として用い、女性＝「産む性」、異性愛＝「自然な」生殖といった規範を強化することがままあるのだ。

だから生殖／家族を脱臼することにこそ向けられた本作は、オタク的セクシュアリティを飛び台にこれまでのジェンダーSFの陥穽を見事に免れ、新たな時代の始まりを告げる記念碑的作品であったのだ。

古谷田奈月『リリース』

そして2016年、古谷田奈月による『リリース』（光文社）が描いたのは、同性婚が法制化され、ジェンダーフリーと男女平等が徹底され、生殖が国家による管理の下に完全に人工化され、異性愛者がマイノリティとなった世界の物語である。

ジェンダー規範から逃れんとする試みは新たな「らしさ」の押し付けと化し、異性愛／生殖中心主義から解放されんとする試みは性暴力を伴う欺瞞に満ちた国家による生殖の管理に結実する――そんなバックラッシュ言説をなぞるかのような世界観は、ある意味「危険」ではある。だが、「正しさ」が抑圧と化す様を、掻き消されていく声のありようを描き、ただひとつの解決策よりは混沌をこそ描いてみせる本作は、今あるこの世界への鮮烈な問いかけなのだ。誰の側にも立ち得ない、マジョリティにもマイノリティにも決して与しないとある登場人物の姿は、困難な「リリース」を体現していた。ゼロ年代以降の現代日本とその価値変容が明瞭に刻まれた、時代を象徴する一作である。

李琴峰『生を祝う』

自由意志の尊重、合意の重要性——紛れもない「正しさ」が徹底された結果、ついに出生前の胎児がこの世に生まれてきたいか否かを確認しなければならないという、「合意出生制度」が法制化されるに至った近未来日本を描くのは、李琴峰による『生を祝う』(朝日新聞出版)であった。

物語設定は現在の生殖そのものを、自己決定というフィクションによって生きる私たち自身の生を問い直す。2021年に出版された本作は、生殖の非倫理性を訴える反出生主義が注目を浴び、また新種の感染症が世界的に流行し、あらゆる陰謀論が現実的に力を持つ現代社会を、まさしく風刺する作品であった。

物語のラスト、主人公はその身に宿した胎児による出生への拒絶を受け入れるが、それはまるで、およそ二百年を超えて書き換えられた『フランケンシュタイン』のようである。身勝手にこの世に誕生させられた挙句、誕生させた当の人からも、社会からも拒絶され、大海原へと去りゆく怪物はここにはいない。2021年の「怪物」は、誕生それ自体を拒むのであった。

ゲンロン 大森望 SF創作講座

大森望

SFの書き方を教える創作講座として世界でいちばん有名なのは、クラリオンSF・ファンタジー作家ワークショップだろう。ペンシルヴェニア州のクラリオン大学で1968年に開講。2007年からはカリフォルニア大学サンディエゴ校に移り、いまも毎年開催されている。基本的には夏休みを利用した六週間の合宿制で、講義がない夜間や週末もひたすら課題の小説を書きつづける苛酷なカリキュラムだが、実践的な講義と緻密な添削指導に定評があり、本気でプロを目指す人々がしのぎを削る。出身者は、ブルース・スターリング、キム・スタンリー・ロビンスン、テッド・チャン、ケリー・リンクなど。

そのクラリオンSFワークショップを遠い目標に掲げて、2016年、東京・五反田のゲンロンカフェで産声を上げたのが、「ゲンロン 大森望 SF創作講座」（以下、「ゲンロンSF講座」と略）。こちらは、ほぼ1年かけてSF小説の書き方を教える創作スクール。月に1回（全10回）の講義と課題提出（梗概と実作）を経て、年度の最後には、最終課題にあたる「ゲンロンSF新人賞」の公開選考会が開かれる。提出課題の採点と講評には、主任講師である大森のほかに、現役のSF作家と各社のSF担当編集者が毎回ひとりずつ加わり、3人で行う。作家講師による講義、梗概講評、実作講評が講座の三本柱。作家コースの受講生は、毎回、作家講師が出したテーマにしたがって短編の梗概（あらすじ）を提出。上位3〜4作に選出されると、実作提出に進み、翌月の講師に講評してもらえる権利が与えられる（梗概が選出されなくても、実作が講評される場合がある）。累計の評価ポイントは、「超・SF作家育成サイト」の得点一覧表を見ればひとめでわかる仕組み。年間ポイントは、「ゲンロンSF新人賞」最終候補（5〜8作）選出に影響する。聴講コースの受講生は、すべての講義を（リアルもしくはリモートで）受講できるが、課題の提出はできない。

具体的にどんな講義が行われ、どんな課題にどんな梗概や実作が提出されているかは、2017年4月に早川書房から刊行された単行本『SFの書き方 「ゲンロン 大森望 SF創作講座」全記録』に詳しい。

まもなく終了する第6期は、作家ゲストに円城塔、宮内悠介、高山羽根子、藤井太洋、小川ゆきみ、法月綸太郎、長谷敏司、新井素子、菅浩江の各氏、編集者ゲストに早川書房、東京創元社、集英社、竹書房、VG＋の各社SF担当者を迎えた。〝小説の書き方〟よりも〝SFの書き方〟に重点を置いているのが特徴で、テーマに対するジャンル特有のアプローチや約束事を効率的に学ぶことができる。

ゲスト作家による講義と梗概および実作の講評（合計4時間〜4時間半）は、リモートもしくはアーカイヴでも視聴できる。このうち実作講評についてはYouTubeで生配信されているので、受講生以外も視聴可能（アーカイヴなし）。受講生が提出するすべての梗概および実作もサイト上に公開され、だれでも閲覧できる。また、非公式サイト「裏SF創作講座」では、読者（受講生を含む）が自分の好きな提出作に自由に投票できる。Twitterやnoteに提出作の感想を公開する人も多く、実際の講座でほとんど言及されなかった作品がそちらで熱く語られることも少なくない。

提出作品を講評するネットラジオ番組「ダールグレンラジオ」は第一期から長く続く自主企画で、それ以外にもゲンロンSF講座関連の非公式番組が複数ある。受講生が自主運営するDiscordサーバー（オンライン・コミュニティ）上での交流のほか、たがいの提出課題についてあれこれ意見を述べ合う感想会や、講座修了後の飲み会なども活発に（自主的に）開かれていて、実際の講義より、こうした自主的な活動のほうにはるかに多くの時間を費やし、多くを得ている受講生も少なくないだろう。

また、講座修了生を中心とする同人誌「SCI-FIRE」も、2017年以降、毎年一冊ずつ刊行されている。最新版（2022年版）には、高丘哲次、名倉編、揚羽はな、十三不塔、池澤春菜、仁科星、高木ケイ、榛見あきる、藍銅ツバメ、吉羽善、河野咲子らが寄稿している（編集担当・甘木零）。

開講から6年余を経て、商業媒体に進出する講座修了生も多数。講座提出作を改稿した連作短編集『うつくしい繭』（講談社）で単行本デビューを飾った櫻木みわ（第1期受講生）を皮切りに、『異セカイ系』（講談社タイガ）で第58回メフィスト賞を受賞した名倉編（1期）、「サンギータ」で第10回創元SF短編賞を受賞した天沢時生、「Final Anchors」で第5回日経「星新一賞」グランプリ（「蓮食い人」で同優秀賞）、「天駆せよ法勝寺」で第9回創元SF短編賞を受賞した八島游舷（2023年に東京創元社から同作の長編版刊行予定）などがいる。高丘哲次（2期）は『約束の果て 黒と紫の国』で「日本ファンタジーノベル大賞2019」大賞を受賞。藍銅ツバメ（4期）は『鯉姫婚姻譚』で「日本ファンタジーノベル大賞2021」大賞を受賞。斧田小夜（3期）は「飲鴆止渇」で第10回創元SF短編賞優秀賞を受賞したのち、SF短編集『ギークに銃は要らない』を破滅派から刊行した。牧野楠葉（5期）は短編集『フェイク広告の巨匠』を幻冬舎から刊行している。ほかにも、高木ケイ、揚羽はな、琴柱遥、稲田一声、原里美、吉羽善らが、さまざまなSF系媒体で活躍している。2020年代日本SF新人作家ラッシュの一翼をゲンロンSF講座が担っていることは間違いないだろう。

世界のSF賞

大森望

英語圏のSF賞と言えば、世界SF大会参加者の投票で決まるヒューゴー賞と、アメリカSFファンタジー作家協会（SFWA）が選定するネビュラ賞が双璧だろう（前者の日本版が日本SF大会参加者の投票で決まる星雲賞。後者の日本版が日本SF作家クラブが選定する日本SF大賞）。前者にはいくらか人気投票的な面があるのに対して、後者は玄人好みの作品が受賞しやすい傾向がある。この両賞に続くのが、米国の月刊SF情報誌「ローカス」の読者投票で決まるローカス賞か（日本で言えば『SFが読みたい！』のベストSF投票によるランキング1位に相当する）。

英国のSF賞としては、1969年創設の英国SF協会賞がよく知られている。最近の受賞作は、ガレス・L・パウエル『ウォーシップ・ガール』（三角和代訳、創元SF文庫）、イアン・マクドナルド『時ありて』（下楠昌哉訳、早川書房）など。1987年に始まったアーサー・C・クラーク賞は、英国SF協会など三団体から選ばれた選考委員の合議で受賞作が決まる。マーガレット・アトウッド『侍女の物語』（斎藤英治訳、ハヤカワepi文庫）。コルソン・ホワイトヘッド『地下鉄道』（谷崎由依訳、ハヤカワepi文庫）のような文学的な作品から、アン・レッキー『叛逆航路』（赤尾秀子訳、創元SF文庫）、エイドリアン・チャイコフスキー『時の子供たち』（内田昌之訳、竹書房文庫）のような宇宙SFまで、幅広い作品に授賞している。

英語圏には他にもさまざまなSF小説賞がある。ディック没後の1983年に創設されたフィリップ・K・ディック賞は、ペーパーバック・ライターだった故人にちなみ、前年にアメリカで刊行されたペーパーバックSFの中から最優秀作品を選ぶ。第3回はウィリアム・ギブスン『ニューロマンサー』(黒丸尚訳、ハヤカワ文庫SF)が受賞。2010年には伊藤計劃『ハーモニー』(ハヤカワ文庫JA)の英訳版が同賞特別賞を受賞した。

アスタウンディング新人賞(1973年〜)は、過去2年間にプロデビューしたSF/ファンタジー作家が対象。数多の新人SF作家を発掘した名編集者の名を冠してジョン・W・キャンベル新人賞と呼ばれていたが、キャンベルの過去の差別的な言動が問題視され、2020年に賞のスポンサーである「アナログ」誌の旧称(「アスタウンディング」誌)を冠した現在の名前に変わった。それと同様に改称されたのが、ジェンダーの理解に貢献したSF/ファンタジー作品に与えられるアザーワイズ賞(日本のセンス・オブ・ジェンダー賞はこの賞に触発されて2001年に創設された)。男性名義で作品を発表し、高い評価を獲得したのち、女性であることが明らかになってSF界を震撼させた不世出の作家にちなみ、ジェイムズ・ティプトリー・ジュニア賞として1991年に創設。ジェフ・ライマン『エア』(古沢嘉通、三角和代訳、早川書房)や、よしながふみ『大奥』(白泉社)の英訳版単行本(1巻と2巻)に授賞した。しかし、ティプトリーがピストル自殺を遂げる前に闘病中の夫を射殺したことが〝介護殺人〟にあたるとして抗議の声があがり、2019年に名前が変わった。

このほか英語圏には、SFWAが主催するデーモン・ナイト記念グランド・マスター賞（1975年〜）、リバタリアンSFを対象とするプロメテウス賞（1979年〜）、短篇SFを大賞とするシオドア・スタージョン記念賞（1987年〜）、歴史改変SFを対象とするサイドワイズ賞（1995年〜）などがある。オーストラリアのディトマー賞（1969年〜）は、国内長篇部門をグレッグ・イーガン『万物理論』『順列都市』などが受賞している。

ドイツのクルト・ラスヴィッツ賞（1981年〜）は、アンドレアス・エシュバッハ『イエスのビデオ』『NSA』や、フランク・シェッツィング『深海のYrr』がドイツ語長篇部門を受賞。フランスには、アポロ賞（1972〜90年）を引き継いだイマジネール大賞がある。

中国の二大SF賞は、SF専門誌「科幻世界」が主催する「銀河賞」と、世界華人SF協会が2010年に設立した「全球華語科幻星雲賞」。前者は1985年に創設。2020年には、「最も人気の高い海外SF作家」部門を上田早夕里が受賞している。後者は、全世界の中国語作品を対象に、選考会の投票によって決まる中国語版のネビュラ賞。それに対して、2019年に始まった「引力賞」は、ファン投票で決まる中国版星雲賞。中国のSF企業、未来管理事務局が運営するアジア太平洋地区SF大会（APSFCon）で授賞式が行われる。

日本では公募新人賞が百花繚乱。2012年にリニューアル再開された早川書房「ハヤカワSFコンテスト」は中編〜長編が対象。柴田勝家、小川哲、草野原々、樋口恭介、十三不塔、竹田人造、人間六度らがこの賞からデビューしている。2010年にスタートした東京創元社の「創元ＳＦ短編賞」は、松崎有理、高山羽根子、宮内悠介、酉島伝法、オキシタケヒコ、門田充宏、高島雄哉、宮澤伊織、石川宗生、久永実木彦らを輩出している。２０１３年にスタートした日経「星新一賞」は、理系的な発想に基づくショートショートおよび短編が対象。一般部門、ジュニア部門（中学生以下）、学生部門（25歳以下の学生）の三部門があり、*一般部門では、遠藤慎一（藤崎慎吾）、八島游舷、安野貴博、揚羽はな、松樹凛らが受賞している（優秀賞含む）。「日本ファンタジーノベル大賞」は、４年間の休止を経て、それまで後援だった新潮社（新潮文芸振興会）が主催社となって２０１７年に復活。「ゲンロンＳＦ創作講座」出身の高丘哲次と藍銅ツバメが２０１９年と２０２１年の同賞大賞を受賞している。

ウェブ上のＳＦ掌編コンテストには、日本ＳＦ作家クラブとｐｉｘｉｖ（ピクシブ）が主催する「日本ＳＦ作家クラブの小さな小説コンテスト」（通称「さなコン」）や、ＳＦウェブメディア「ＶＧ＋」（バゴプラ）の主催する「かぐやＳＦコンテスト」がある。他にも、小説投稿サイトが主催する「カクヨムＷｅｂ小説コンテスト」のＳＦ部門など、ネット小説系のコンテストも多く、新人ＳＦ作家のデビュー機会は増えている。

＊2022～2023年の第10回は学生部門の募集がなく、一般部門とジュニア部門のみ。

プロ／アマの垣根を超えたウェブジンとファンジンの世界

井上彼方

「新しいSFの風を感じたい！」「短い小説を手軽に楽しみたい」という方には、オンラインのマガジン（ウェブジン）とSFファンによる同人誌（ファンジン）がオススメだ。どの媒体も「優秀な書き手や面白い作品を紹介する場を増やしたい！」という主宰者たちの熱意によって成り立っており、商業誌とはひと味違った作品たちに出会うことができる。

ネットで気軽にSF短編小説を楽しみたい、という方にはオンラインSF誌「Kaguya Planet」を勧めたい。SF企業VGプラスが運営する「Kaguya Planet」では、毎月無料でSF短編小説を配信しており、文字数も最大一万字程度と手軽に楽しむことができる。ジェンダーSF特集、笑いとSF特集など、特集作品から読むのも良いだろう。芥川賞作家の高山羽根子らプロの作家から、商業デビュー前の新鋭まで幅広いキャリアの作家が活動している。「Kaguya Planet」に寄稿した熊SF「冬眠世代」が話題となり、その後商業出版でも活動している蜂本みさのように、新鋭の書き手のステップアップの場ともなっている。

SF作家の青山新と樋口恭介が中心となりnote上で運営している「anon press」には小説、漫画、詩歌などが掲載されている。作品は掲載後、一週間無料で公開され、その後はマガジン購読者が読むことができる。介護AI、ヤマザキパンSF、ラブコメなど、作品の方向性は多様だが、青山と樋口が「本当に面白いと思う作品」という点で統一されており、ユニークな場となっている。

その他、「Anima Solaris」、「SF Prologue Wave」など、SF短編小説が読める古参のウェブマガジンも複数ある。特に「SF Prologue Wave」は週四回コンテンツが配信されるという充実ぶりだ。

面白いファンジンは無数にあるが、屈指のクオリティを誇るのはゲンロン大森望SF創作講座の受講生を中心とした文芸誌「Sci‐Fire」だろう。二〇一七年から毎年刊行されており、現在は甘木零が責任編集を務める。「アルコール特集」や「インフレーション／陰謀論特集」などエッジの効いたテーマや、食パンにマイクロノベルを印刷した「食パン小説」など粋な企画も見どころだ。

「Rikka Zine」は、SF書評家の橋本輝幸が主催している、日英二言語の世界SFのセミプロジンだ。二〇二二年に「shipping」をテーマにした第一号が、日本語と英語で刊行され、日本語圏と世界を繋ぐ架け橋となった。日本語小説、翻訳小説、論考を掲載しており、参加している作家はブラジル人、インド人、韓国人など多様だ。クィアな登場人物が出てくる作品、性愛や恋愛とは異なる（かもしれない）結びつきを描いた作品が複数掲載されているのが特徴の一つだ。《カニ》や雷鳥など魅力的な生き物が出てくる作品が複数あるのは、編者の偏愛だろうか。

海外の面白い短編小説を読むなら、白川眞が主宰する〈週末翻訳クラブ・バベルうお〉による「BABELZINE」も欠かせない。英語圏のSF・ファンタジー・ホラーを中心に、メンバーがそれぞれ選んだ海外の短編小説が掲載されており、邦訳が初めての作家も多い。作品の選定・原作者からの許諾取得・翻訳・編集などをすべて〈バベルうお〉のメンバーが行なっており、珠玉の作品たちを紹介したいという熱い想いが感じられる。二〇二一年に刊行された第二号には、戦間期のドイツを舞台にしたギルドの職人の物語や、ナイジェリアを舞台にしたホラー、ビッグデータ時代のアメリカの恋愛小説など、時代も地域も趣向もバラバラの作品が並ぶ。「単数の無性別人称代名詞They」についての論考も収録されており、ジェンダーと言葉を巡る英語圏の潮流を知ることができる。

SFの世界に足を踏み入れるための入門書が欲しいという方には、若手SFファンによる新世代のSF情報誌「SFG」をオススメしたい。毎号特集を組んでおり、「ゲーム」「アイドル」「アジア」「異世界」など、特集のテーマに沿った作品のレヴューやSF作家のインタヴューが掲載されている。

他にも、大学のSF研究会やコンベンション、同人サークルなど、多数の団体がファンジンを作っている。好きなファンジンを探すには、各地で開催される文学フリマがオススメだ。ちなみに文学フリマ東京はブースの数が千を越えるため、小説―SF、翻訳―SFなどの分類を手がかりに、事前に「ウェブカタログ」で目星をつけておくとよい。見本誌のコーナーが設置されていることもある。また最近では、ネットで頒布しているファンジンも多い。東京・中野にあるタコシェのように、ファンジンを置いている書店を近所で探してみるのも楽しいだろう。

今回紹介した媒体は近年始まったものも多く、プロ・アマの垣根を超えて昨今のSF界の盛り上がりを作っている。書き手の間口が広がったことで作品の多様性も広がった。そしてウェブジンが顕著だが、掲載された作品の感想がSNSで飛び交っているのも楽しみの一つだ。新しい書き手を知ったり、自分とは違う読み方に出会ったりすることができる。SNSでのそんなゆるい繋がりに参加してみるのもとても楽しいと思う。

SFファンダムとコンベンション

藤井太洋

2015年の夏、山火事の匂いが漂うワシントン州の旧首都スポケーンに降り立った私は、SFの書き手と読者が極めて近い場所にいることを思い知らされた。

市の中心部にあるコンベンションセンターは、73回目の世界SF大会〈サスクワン〉に参加した参加者で賑わっていた。宇宙艦隊の乗組員や、ビクトリア朝風の探検家、あるいは戦士や魔法使いの装いを楽しむ人々もいれば、路傍のベンチに座り込んで分厚い本に目を落とす人も、旧交をあたためる人もいる。楽しみ方はそれぞれだ。

四千人を超える参加者はHe/himやThey/them*などの代名詞が刻印されたネームタグをぶら下げて会場の各所に散っていく。

大小さまざまの会議室では三名から四名の作家や編集者、イラストレーター、書評家、ブロガーたちがパネルディスカッションに登壇して熱く語り合っていた。「火星移住」や「ハインラインの描いた未来」のようなSFらしい話題から「自費出版で成功するには」「なぜディストピア小説を書くのか」「必見の配信ドラマ」「魔法のある世界を描くには」まで幅広く設定されたテーマがずらりと並ぶ。論文発表のためのアカデミックトラックでは、人文・社会・宗教などの文脈を踏まえた質問が飛び交う、人文系学会の様相を呈していた。

＊性自認が男性でも女性でもない場合に用いる三人称単数形の代名詞。ワールドコンでは普通の会話で三人称単数系が使われることも多い

パネルが開けないような小さな会議室ではワークショップが催される。私も、七名ほどの参加者を相手に「ジーンマッパー」の英語版を朗読して、ストーンアクセサリーを作るワークショップに参加した。

スケジュールの合間に参加者が足を向けるのは、土地の書店やゲーム、コスプレ衣装やアクセサリーの店舗がずらりと並び、各地のSF団体が機関紙を配って回るエキシビジョンホールだ。ホールの一隅を占めるサイン会場にはケン・リュウやパオロ・バチガルピ、ジョージ・R・マーティンらが入れ替わり立ち替わり席についてサインと自撮り（セルフィー）に応じ、飲食可能なエリアでは作家を囲んでコーヒーとお菓子を楽しむ「コーヒーゴシップ（コーヒークラッチェ）」や、ビールを飲みかわす「文学ビール（リテラリービアーズ）」などの催しも行われていた。

会場が閉まる夜もワールドコンは続く。作家団体や出版社、ファングループが毎夜のように会場近くのホテルでパーティーを開いて交流に勤しむのだ。

コンベンションのハイライトとなるヒューゴー賞の授賞式では千人近い参加者が大ホールに集まって、自らが投票した〈ヒューゴー賞〉の行方に固唾を呑む。アマチュア部門もあるヒューゴー賞の大半はワールドコンの参加者――つまり仲間の誰かに与えられるからだ。

もしもワールドコンに行くことがあったなら、授賞式に先立って行われる追悼式を一度は体験してほしい。他界した作家やコンベンションを支えたファン、映画スタッフや俳優の名前がスクリーンに流れ、ホールはこの場にいない仲間を思うささやきが満たされる。

デビュー作ひとつ、あるいは雑誌掲載の短編だけでも「作家」として参加できるSF大会は、多くの作家にとって故郷のような存在だ。デニス・E・テイラーの〈われらはレギオン〉シリーズなどは、まさにワールドコンから始まっているし、他の多くの作家も登場させる学会やエキスポがワールドコンの小ネタで満たされているのも珍しくない。

読者と書き手がSF大会で一つの大きなコミュニティを作り上げているのは、アメリカに限った話ではない。

ヒューゴー賞と同じ形式で参加者が投票する〈星雲賞〉の発表が行われる〈日本SF大会〉は、ワールドコンに追従するコンベンションだ。新井素子や大森望のような著名な作家や編集者、翻訳家たちがパネルディスカッションに登壇し、ファンたちと語り合う姿をそこかしこで見ることができる。

今年の日本SF大会は交通の便がいい埼玉で開催されるので、SF大会をちょっとだけ覗いてみようという方にはお勧めしたい。

中国のSF大会でも、SF大会は読者が作家と近しく交わる場になっている。一般の参加者がVIP扱いの劉慈欣（リュウツーシン）に近づくのは難しくなってしまったが、陳楸帆（チンチュウファン）や夏笳（シアジア）は気さくに返答してくれるし、海外から招待されるゲストたちが現地のファンたちと熱心に交流する姿はそこかしこで目にすることができる。

2023年にはその中国の成都市で81回目のワールドコンが開催される。

小さなSF大会も作家にとっては交流と知見を広げる重要な機会だ。最後に参加した国外のコンベンションはリヨンのSFシンポジウムだったが、旧知の夏笳には中国で出版できない作品を渡すことができたし、オランダの友人R・レーウェンハートからは売り込み中の英訳を読ませてもらった。日本ではまだ紹介されていないフランス語圏の作家、オリヴィエ・パキやそのファンたちとの交流も始まった。

オンライン活動が増えたコロナ禍の最中に、ワールドコン、日本や中国のSF大会、リヨンで繋がった人たちとの交流は、日本の友人たちとのそれとほぼ変わらない頻度になり、創作に向きあう活力になっている。

もしもSFを書いたこと、あるいは書評を書いたこと、そうでなくてもブログやSNSで感想を投稿したことがあるのなら、一度はコンベンションに参加してみてほしい。

そこで生まれる交流は、あなたの精神の故郷を形作ることだろう。

対話のためのSFプロトタイピング

宮本道人

「SFプロトタイピング」という言葉をご存知だろうか？　ざっくりいうと「フィクションの力を活用し、斜め上の未来ビジョンの試作品を創作・議論・共有する手法」であり、広義にはSFの社会活用を試みる考え方全般を指すこともある。

日本では2021年頃からビジネス業界で話題になってきたトピックであり、特にコンサルテーションのプランの一つとして提案されることも増えてきた。

手順が明確に定義されている手法ではないため、実施者によってやり方は違うが、大まかにはワークショップ形式を取ることが多い。企業で実施される場合は、社員と作家などで未来について対話しながらSF作品を作ってゆき、そのなかで「こんな製品があったら未来はどう変わるだろうか？」といった対話から新規事業アイデアを練ったり、将来ビジョンを考えたりする。また、自治体などで使われる場合は、さまざまな市民を集めて街の未来などについて対話してもらい、そこからSF作品を考えてゆくといった方法論が取られる。

SFプロトタイピングはもともと、インテルのフューチャリストであったブライアン・デイビッド・ジョンソンによって2009年頃から提唱されるようになった概念で、2011年に刊行された彼の著書『インテルの製品開発を支えるSFプロトタイピング』（細谷功監修、島本範之訳、亜紀書房）によって広く知られるようになった。

アメリカではこの手法を売りにしたコンサルテーション企業「SciFutures」が2012年に立ち上がったり、アリゾナ州立大学にSFプロトタイピングの研究を進める「科学と想像力センター」が同年創設されたりしている。実際に企業で実施された事例としては、2015年のMicrosoft Researchの例が有名である。同社はSF作家に自社の研究を見せ、そこからインスパイアされた作品を執筆してもらい、短編集『Future Visions』をウェブ上で無料公開した。アメリカやフランスでは、軍が予想外の脅威に備えるためにSFプロトタイピングを用いることもあり、そういった「企業や政府がフィクションを飼いならす」事例に対しては議論も巻き起こっている。

さて、かくいう筆者も日本のアカデミアにおいて、SFプロトタイピングの研究、実践に取り組んできた。国内外のSFプロトタイピング実践者の取り組みを座談形式でお聞きした『SFプロトタイピング　SFからイノベーションを生み出す新戦略』（早川書房）や、三菱総合研究所との共同研究によりSFプロトタイピングを細かくメソッド化した『SF思考　ビジネスと自分の未来を考えるスキル』（ダイヤモンド社）などの編著書があるため、ご興味ある方はそちらを参照してもらいたい。

この2冊および、日本におけるSFプロトタイピングの先駆者・樋口恭介による『未来は予測するものではなく、創造するものである　考える自由を取り戻すための〈SF思考〉』（筑摩書房）の3冊が2021年に刊行されたことにより、SFプロトタイピングは日本でもある程度ムーブメント化してゆくこととなった。SFプロトタイピングの発展の流れや事例については、2023年刊行の拙著『古びた未来をどう壊す？ 世界を書き換える「ストーリー」のつくり方とつかい方』（光文社）に詳述したため、そちらもあわせて参照してほしい。

では、なぜそもそもSFはビジネス業界に注目されるようになったのか？

そのひとつには、アメリカの著名人たちがこぞってSFを推薦するようになったという背景がある。ビル・ゲイツ、マーク・ザッカーバーグ、イーロン・マスク――こういった大物実業家はもちろん、バラク・オバマなどの政治家やエマ・ワトソンなどの女優もSFにたびたび言及し、話題を呼んでいたのである。

このような背景もあって、SFプロトタイピングを「既存のSF作品からアイデアを取り出す方法」「SF作品を広告として使う方法」として誤解している方も多く見られる。それが完全に間違いとは言わないが、多くのケースはその真逆である。プロジェクトで新規にSF作品が制作されることがほとんどだし、制作されたSF作品が公開されることは少ない。

また、企業側がSF作家に作品制作を丸投げしているケースもしばしば見かけるが、これも、もともとのSFプロトタイピングの考えからは外れている。『インテルの製品開発を支えるSFプロトタイピング』には、以下のような文章がある。

「SFプロトタイプの目標は、科学と未来の可能性との間における対話である。科学者や同僚、研究パートナーの間で交わされる対話であり、対話そのものを拡大し、アーティストやデザイナー、ごく普通の人々にまで参加してもらうための手段でもある」

ここから分かる通り、ＳＦプロトタイピングでは「対話」が最重要視されている。誰もが未来について気軽に話せるようにするためにＳＦを介在させる――これがＳＦプロトタイピングの本質であり、現実的で短期的な成果を求める向きは間違っている。イノベーションはその副産物として期待されるものでしかない。

読者の皆さまもぜひ、さまざまな友人に声をかけて、一緒にＳＦを作ってみてほしい。作品の出来・不出来は考えなくてよいし、ビジネスのことなど一ミリたりとも考えなくてよい。ただ、対話のなかで、未来に対してのあなたの考えを共有し、議論してみよう。それこそがＳＦプロトタイピングそのものである。

SF編集者座談会――そこが知りたい翻訳SF出版

河出書房　伊藤靖（「奇想コレクション」「NOVA」）
竹書房　水上志郎（『シオンズ・フィクション』『竜のグリオールに絵を描いた男』）
東京創元社　石亀航（創元海外SF叢書、創元SF文庫）
早川書房　溝口力丸（「S-Fマガジン」編集長）
司会　池澤春菜

池澤　翻訳出版のイロハからうかがいたいと思います。まず著作物を翻訳するためには著作者にOKをいただかないといけない。直接その著作者にお話しするのは難しかったりするので――。

石亀　著者と直というのはトラブルの元なので基本的にはやらないですね。

池澤　版権エージェントというものが関わってくる。

伊藤　1社だけ昔から、しばしばダイレクトで契約しているというクレジットを掲載している版元があるんですね。早川書房なんですけど。

溝口　うちは昔から、社長が自ら海外の出版社やブックフェアを訪ねて、現地の出版人や著者本人と仲良くなって版権を取るようなことがありました。

伊藤　社長さんが動いてダイレクトで契約する。これはすごい強みですよ。

池澤　ブックフェアも大きい存在ですよね。本の見本市。出版社の人たちが直接向こうの出版社や著者と交流し、面白そうな本を探したりする。

水上 うちは前会長がブイブイいわしてた時代に部下を連れてフランクフルトで豪遊するというのが毎年の恒例で。

池澤 (笑)

水上 何をしてたのか分かりませんけど、僕が入って10年ぐらいは行ってなかったのですが、僕のもと上司がちゃんとやろうといって、フランクフルトとロンドンは行くことになりました。僕も一緒に2人で、コロナ前までは行ってましたかね。だいたい30分刻みくらいでいろんな会社とミーティングをする感じですね。

池澤 頭が煮えそうですね、それは……大変そう。

水上 だからフランクフルトの美味しい日本料理会いに行くのだけが楽しみとか。

池澤 その日本料理屋さんでも絶対誰かに会いそう。

水上 たとえ会えたとしても、話す元気はないです……。

伊藤 オンラインの交渉が増えてます。コロナを抜きにしても、現地に足を運ぶメリットが減ってきたんですね。でも世界最大のブックフェアであるフランクフルトには、毎年派遣してます。

石亀 最近はエージェントからPDFでカタログが送られてくるんです。1年先ぐらいに出す予定の本を並べた一覧。興味があれば原稿を送ってくれるので、それで検討することが多いですね。

池澤 まさか全部読むんですか?

石亀 リーダーさんというのが本のあらすじと評価をまとめたレジュメを書いてくれます。カタログのめぼしいものは信頼できるリーダーさんに任せることが多い。自分で読むと評価に偏りが出がちなので、客観的な目線が欲しいんです。

池澤 版権が取れたら今度は翻訳者の選定に入る。レジュメを読みながらこれはこの人に任せようみたいに決まっていくものですか。

石亀 そういうのもありますし、そもそも訳者さんがリーダーというパターンも多い。リーダーをお願いしたらその人に頼まないと失礼になるので。それで評価が揺らぐこともない人たちなので大丈夫です。

池澤 翻訳者さんが本を見つけて、出版社に持ち込んで出版までこぎつけた、みたいなお話も聞きます。

石亀 珍しいからニュースになるんでしょうね。訳者さんが読むのは本が出た後なので、もう決まってることが多いんです。既に検討して落としましたっていう話になりがちで。

池澤 その落とされた石たちの中に宝石は……。

伊藤 刊行時には埋もれていて、後にその作家が活躍して「あの作品が翻訳されてないね」というのはいくらでもある。

池澤 今までお話ししたのは1冊本の場合ですが、雑誌に載るような短編はどうですか。

溝口 短編単位で著者やエージェントと契約しています。今は隔月刊なので、だいたい刊行の2か月前くらいに次号に載せたい版権を交渉して、並行して訳者さんの選定も進めて版権がとれたらすぐに動けるようにしています。ヒューゴー賞ネビュラ賞の受賞作や候補作、短編の賞はたくさんあるので、その候補作をあたっていけば訳すべき作品が見つかる。それでも追いつけない部分もあるんですけど。

池澤 今はウェブマガジンでも活発に短編が出ていて、フォローが大変ですよね。作品を探すメディアが増えるとマイナーな言語もあるじゃないですか。

石亀 中国韓国が増えてきたかな。

溝口　韓国は河出さんがすごく攻めてますけど。

伊藤　売れたんです。SFに限らず韓国小説をやりたいという企画は出ていたけど、どれくらい売れるんだよと。部数を少なくして定価を高くしたり、なんとか企画を通していたわけですが、韓国小説のベストセラーが出るようになると通しやすくなる。そこで出した本が売れると、じゃあ次もやろうと、幸せなサイクルが生まれる。

溝口　中国SFについては『三体』のおかげです。全世界で売れてるとはいえ、ざっくり言えば宇宙人が攻めてくるぞ!という作品なので（笑）SFを読み慣れていないとどうかなというところもあったんですけど、結果的には日本でもあらゆるSFの中で今一番売れている。となると「次の『三体』は?」という流れになる。

池澤　逆に日本から外に作品を出していくには?

石亀　昨日、別なイベントで同じテーマのトークをしたんですよ。翻訳されるにはどうしたらいいか。作家としては書き溜めておくしかできないという結論になった。

池澤　藤井太洋さんもおっしゃってました。短編のアーカイブを作って、話が来たら「こんな作品があります」とご紹介できるシステムを作りたいと。

伊藤　中村文則さんの『掏摸』がアメリカでベストセラーになった。これは大江健三郎賞を受賞したんですね。大江賞の受賞作品は英訳するんです。そこからアメリカの市場につながった。

池澤　受賞のご褒美みたいなものとしてあるわけですね。

伊藤　英語のあらすじとサンプルがないと日本語で読んでくれるアメリカ人はほとんど

いない。日本SF大賞受賞作品に必ず英語であらすじとサンプルを作成することにすれば、作家さんにもいいことだし、日本SFを発信するために大いに役立つと思います。

溝口 アニメなんかも海外の売上が大きくなって、小説よりずっと先にグローバル対応をしている。小説もその流れに乗せてもらえるところはあるので、そういう複合的な考え方もありかもしれません。

伊藤 韓流ブームとかK－POPとか映画を通して日本でも韓国に興味を持つ人が増えた。韓国語の読める人が増え、韓国の小説を紹介できる人が増えた。よって翻訳者も増えて、韓国の小説を読んでもらえる土壌もできたという、これも幸せなサイクル。日本の小説が海外で読んでもらえるのは日本に興味を持ってくれる人がいたからで、日本文化に興味を持つ人が少なくなれば自ずと日本の小説も読んでもらえなくなる。

池澤 その中で私たちができることは少ないかもしれないけれども、ちょっとずつ頑張っていきたいですね。

伊藤 数年前までは小説は特に欧米圏では売れなかった。でも柳美里さんが全米図書賞を受賞したり、特に女性作家の注目度が高くなってます。金がなくても手弁当で発信していくしかないんじゃないかな。

池澤 お金がない分をマンパワーでという、ちょっと寂しいところに落ち着きそうですが（笑）。どうもありがとうございました。

2022年4月17日
代官山蔦屋書店「SFカーニバル」にて

執筆者プロフィール

池澤春菜　ギリシャ生まれ。声優としてアニメ、外画、ナレーション、舞台など。作家として書評、翻訳、エッセイ、小説と幅広く活動する。第20代日本SF作家クラブ会長。SFを愛し、SFに愛されたいと願っている。

井上彼方　オンラインSF誌「Kaguya Planet」のコーディネーター。編書『SFアンソロジー　新月／朧木果樹園の軌跡』(Kaguya Books)、『社会・からだ・私についてフェミニズムと考える本』(社会評論社)。

大庭繭　1995年生まれ。お茶の水女子大学人間文化創成科学研究科比較社会文化学専攻修了。ゲンロンSF創作講座第6期生。短歌、小説を執筆。

大森望　書評家、翻訳家。責任編集の『NOVA』、共編の『年刊日本SF傑作選』で、第34回・第40回日本SF大賞特別賞。著書に『21世紀SF1000』『同 PART2』『新編SF翻訳講座』『50代からのアイドル入門』、訳書に劉慈欣『三体』(共訳)、テッド・チャン『息吹』など。「ゲンロン大森望SF創作講座」主任講師。

岡野晋弥　1991年生まれ。SF文学振興会所属。SF情報同人誌『SFG』の編集担当。普段は理工系実用書の編集者をしています。大学に入ってから友人の影響でSFを読み始めました。主に国内SFを中心に読んでいます。

小川哲　東京大学大学院総合文化研究科博士課程退学。2015年、「ユートロニカのこちら側」で第3回ハヤカワSFコンテスト大賞を受賞しデビュー。『ゲームの王国』で第31回山本周五郎賞、第38回日本SF大賞を受賞、『地図と拳』で第168回直木三十五賞受賞。

春日正信　1970年広島県生まれ。音楽雑誌『remix』編集者を経て、現在は札幌でXR事業に従事。被差別部落民。ドラム&ベースDJ「Stoned Love」名義での復活を画策中。

岸田大　1994年生まれ。大阪府島本町出身。立命館大学映像学部映像学科卒業。現在はゲンロンSF創作講座6期を受講しながらSF小説の執筆や、詩誌に投稿などを行い詩人としても活動している。映像制作会社勤務。

日下三蔵　ミステリ・SF研究家、フリー編集者。著書に『日本SF全集・総解説』(早川書房)、編著に《日本SF傑作選》(ハヤカワ文庫JA)、《日本SF傑作シリーズ》(竹書房文庫)、《筒井康隆コレクション》(出版芸術社)など多数。

昏月鯉影　京都大学在学。同大学SF・幻想文学研究会所属。同会機関誌「WORKBOOK114」から創作、レビュー、翻訳などを寄稿。ホラー小説、怪奇・幻想文学などを好む。

堺三保　批評家／翻訳家／脚本家／リサーチャー。英米のSFやミステリを中心に小説／映画／ドラマ／コミックスなどのレビューや翻訳を手がける。また、テレビアニメの設定考証や脚本の仕事も多い。近年は自主製作で映画を作り、フィルムメイカーとしても活動している。

佐倉きの　読書が好きなIT系会社員。一風変わった小説やヒトならざる登場人物を特に好む。読書ブログ「好物日記」管理人。SF文学振興会所属。

猿場つかさ　1989年東京生まれ。ゲンロンSF創作講座5期・6期受講生。茶道裏千家（講師）。第13回創元SF短編賞最終候補。ソフトウェアエンジニア。そんなの（S）不可能（F）を書きます。テクストを摂取して人間から脱出したい。

たかP　京都大学SF・幻想文学研究会（KUSFa）所属の京都大学経済学部一回生。KUSFaの発行するWORKBOOK115, 116、Privolva創刊号、第二号に参加。静岡出身の19歳。

立原透耶　中華圏SF愛好家。翻訳、創作など。大学教員もやってます。日本SF作家クラブ特別賞受賞。中国星橋賞受賞。最近古本の買い方が豪気なことがバレて、女三蔵と呼ばれています。猫奴隷です。

谷美里　小学生〜一般向けの文章講座pen laboを運営。その中で、中高生と雑誌をつくるプロジェクトを始動。そのほか、旅の批評誌『LOCUST』編集部として活動したり、地元の児童劇団の脚本を書いたり、小説の創作をしたりしている。ゲンロン佐々木敦批評再生塾・大森望SF創作講座修了生。

タニグチリウイチ　書評家・ライター。ライトノベルを中心に「S-Fマガジン」「ミステリマガジン」「リアルサウンドブック」等で書評や作家インタビュー、「IGN　JAPAN」等でアニメーション関係の記事を執筆。

遠野よあけ　1984年生。作家・批評家。ゲンロン佐々木敦批評再生塾1期・3期生。ゲンロン大森望SF創作講座4期生。社会のよき歯車になりたい。尊敬する偉人は阿澄佳奈さん。

中野伶理　SF創作講座四・五・六期生。「銘刀の絆」で第五回ゲンロンSF新人賞菅浩江賞受賞。アンソロジーに移行予定のファッションSFウェブジン『matotte.』6月号に「シルク／月下の白い約束」、八月号に「星の音は乾いて」を寄稿しております。

永井光暁　1986年大阪府生まれ。フリーライター。2016年結成の評論系同人サークル〈アレ★Club〉に結成当初から参加。機関誌であるジャンル不定カルチャー誌『アレ』はVol.11まで刊行中（本書刊行時点）。※『アレ』の詳細についてはコチラ→https://are-club.com/works/

難波行　大阪生まれ、京都大学 文学部美学美術史学科 卒業。アートギャラリーでの広報を経て、現在は純文学やSFの小説を執筆中。第43回新潮新人賞 最終候補、第40回すばる新人賞 最終候補。ゲンロン大森望SF講座6期生。

橋本輝幸　会社員ときどきSF文筆業。編著書に『2000年代海外SF傑作選』『2010年代海外SF傑作選』（ともにハヤカワ文庫SF）、共編に『中国女性SF作家アンソロジー 走る赤』（中央公論社）。

榛見あきる　1992年生。第4回ゲンロンSF新人賞受賞、受賞作を改稿したチベット仏教ダンスSF『虹霓《こうげい》のかたがわ』がゲンロンSF文庫から刊行される。ロボットアニメが好き。

藤井太洋　ＳＦ作家。２０１２年に『Gene Mapper』でデビューし、二作目の『オービタル・クラウド』で星雲賞と第日本ＳＦ大賞を受賞。現在は連載で星雲賞を受賞した『マン・カインド』の早期刊行を目指している。

冬乃くじ　異種文芸トーナメント「ブンゲイファイトクラブ」の第一回（２０１９）と第二回（２０２０）で本戦出場、第四回（２０２２）にて優勝を果たす。オンラインＳＦ誌「Kaguya Planet」に「国破れて在りしもの」が掲載、のちに第42回日本ＳＦ大賞エントリー。

牧眞司　ＳＦ研究家・文芸評論家。著書に『「けいおん！」の奇跡、山田尚子監督の世界』（扶桑社）、『JUST IN SF』（本の雑誌社）など。編著に《Ｒ・Ａ・ラファティ・ベスト・コレクション》（ハヤカワ文庫ＳＦ）など。

丸屋九兵衛　伏見稲荷生まれの「万物評論家」。三国志、北欧神話、ＳＦ、アフリカ民話などを読み、早稲田大学で文化人類学を学ぶ。ヒップホップ／R&B専門誌『ｂｍｒ』出身だが、もはや編集はせず、音楽評論の仕事もほぼ来ない。

水上文　１９９２年生まれ、文筆家。主な関心の対象は近現代文学とクィア・フェミニズム批評。文芸批評・書評等を書くほか、映画・アニメのレビュー、ジェンダー・セクシュアリティにまつわるエッセイ等を執筆。

宮本道人　東京大学ＶＲセンター特任研究員、慶應義塾大学理工学部訪問研究員。単著に『古びた未来をどう壊す？』、編著に『ＳＦ思考』『ＳＦプロトタイピング』『プレイヤーはどこへ行くのか』など。博士（理学、東京大学）。

群嶋漁　１９９８年生まれ。京都市立芸術大学に在学。２０２２年の初夏に京都大学ＳＦ・幻想文学研究会に所属する。

茂木英世　関西大学在学。京都大学ＳＦ・幻想文学研究会所属。奇想天外なアイデアに溢れた小説を好む。これまでの活動に、第３回百合文芸コンテストＰｉｘｉｖ賞受賞、２０２２年度ノベル大賞第４次選考通過など。

やらずの　フリーライター。普段は映画メディアやファッション誌を中心に活動。その実態は作家を志すワナビー。ＳＦも純文学も好き。幅広く読むし幅広く書く。小説は「カクヨム」にて掲載。いつかこの１００人に選ばれたい。

楊駿驍　文学研究者、批評家。専門は現代中国の文学と文化。早稲田大学などで講義を担当。論考に「連載：〈三体〉から見る現代中国の想像力」（三回まで連載中、『エクリヲ』vol.11・13）などがある。

渡邉清文　同人誌や創作講座にてＳＦ小説や現代詩を執筆。第12回創元ＳＦ短編賞最終候補「ヴァーツラフ広場、からくり座、深夜１時27分」、ゲンロンＳＦ創作講座第４期最終課題「鏡の盾」等。サイバーパンクとヒロイックファンタジーが好き。

現代SF小説ガイドブック　可能性の文学

2023年3月8日　初版印刷
2023年3月22日　初版発行

監修　池澤春菜

デザイン　北村卓也

編集　大久保潤（Pヴァイン）

発行者　水谷聡男
発行所　株式会社Pヴァイン
〒150-0031
東京都渋谷区桜丘町21-2 池田ビル2F
編集部：TEL 03-5784-1256
営業部（レコード店）：
TEL　03-5784-1250
FAX　03-5784-1251
http://p-vine.jp
ele-king
http://ele-king.net/

発売元　日販アイ・ピー・エス株式会社
〒113-0034
東京都文京区湯島1-3-4
TEL　03-5802-1859
FAX　03-5802-1891

印刷・製本　シナノ印刷株式会社

ISBN　978-4-910511-37-5